Marek Michalak

OPOWIEŚCI
o tym, co
w życiu ważne

Ilustracje: Katarzyna Sadowska

Julce i Miłoszowi oraz wszystkim dzieciom świata,
żeby zawsze miały z kim porozmawiać na ważne
i ciekawe tematy

Wydawnictwo IBIS

Autor:
Marek Michalak

Redakcja:
Magda Maciak – Slow Education

Ilustracje i okładka:
Katarzyna Sadowska – Agraffka

ISBN 978-83-67178-44-0

Konin 2022

Spis treści

Wstęp

S ą takie słowa, które słyszymy bardzo często. Ale czy tak naprawdę je rozumiemy? Słowa ważne, piękne, wartościowe, potrzebne, nawiązujące do naszych uczuć i nastrojów, do praw człowieka, w tym – szczególnie – praw dziecka. To bardzo ważne, by pamiętać, że prawa człowieka zaczynają się od praw dziecka, bo prawa dziecka to prawa człowieka. Są one należne każdemu, tylko i aż, dlatego że jest człowiekiem. To prawa, na które nikt nie musi zasłużyć. Po prostu je ma i już.

Książka powstała z myślą o Was – młodych czytelniczkach i czytelnikach, którzy mogą czuć się zagubieni w gąszczu słów. Ale nie martwcie się, to nie będą nudne, poważne wykłady. To próba wytłumaczenia poprzez historyjki, które mogły przydarzyć się każdemu, ważnych pojęć, takich jak: szacunek, godność, miłość, przyjaźń, tolerancja, akceptacja, prawo do własnego zdania i innych. To opowieści o sile uczuć, słów i potrzebie wartości. To materiał do przemyśleń i rozmów o ważnych dla każdego sprawach.

Po tych tematach oprowadzą Was Julka i Miłosz.

Miłego czytania i rozmawiania!

Marek Michalak

1
HISTORIA O MIŁOŚCI
Album ze zdjęciami

Julka jechała do babci z mieszanymi uczuciami. Bała się, że dwa tygodnie bez internetu w komórce to będzie nuuuuda. Rzadko rozmawiała z babcią. A kiedy zdarzało się jej zamienić z nią kilka słów, odnosiła wrażenie, że mówią jakby innymi językami. Babcia nie rozumiała połowy pojęć, których używała dziewczynka. Wrzucanie czegoś na Facebooka oznaczało dla niej robienie makijażu według jakiejś książki. Kiedyś to Julkę śmieszyło, teraz uważała, że to katastrofa. Tak jak ten „rytm dnia", którego babcia od zawsze pilnowała: wstawanie o 6:30 nawet w niedzielę, jedzenie o określonych porach, po południu przebieranie się w różowy dres, włączanie DVD z ćwiczeniami słynnej trenerki fitness i próba naśladowania tego, co na ekranie. W łóżku babcia była zwykle już o 21:00. W głowie Julii rodził się pomysł, żeby nagrać dla tak zwanej beki filmik „Dzień z życia babci" i wrzucić go na YouTube. Już widziała te setki lajków… Zrozumiała jednak, że nie jest to dobry pomysł, chwilę po tym, jak razem z mamą weszła do domu babci.

Starsza pani właśnie uzupełniała albumy ze zdjęciami. Fajna sprawa! Julka tak dawno nie widziała zdjęć nie z komórki. Były niesamowite. Można je było wziąć do ręki, obejrzeć z przodu i z tyłu, i nawet powąchać. Najbardziej zagadkowe było zdjęcie, na którym babcia i mama siedziały razem na szpitalnym łóżku.

– Co wam się stało? Miałyście wypadek? – zainteresowała się dziewczynka, a mama i babcia spojrzały na siebie z czułością. – Dlaczego byłyście razem w szpitalu? – dopytywała.

Babcia westchnęła, a mama zaczęła tłumaczyć:

– Pamiętasz, opowiadałam ci kiedyś, że miałam poważne problemy z nerkami. W pewnym momencie przestały pracować – mama zamilkła, jakby jej głos utknął w gardle.

– I…? – niecierpliwiła się Julia.

– Babcia oddała mi swoją nerkę – dokończyła krótko i konkretnie mama.

– Co?! Masz w sobie nerkę babci?!

– Dokładnie tak! Dzięki niej żyję! – krzyknęła mama, a jej okrzyk rozładował napięcie tej chwili. Mama i babcia obejmowały się z miłością i czułością. Julia zastygła.

– Ale news. Normalnie zbieram szczękę z podłogi. Babciu, szacun! Żeby coś takiego dla kogoś zrobić, to trzeba go chyba kochać ponad życie?!

– Pewnie, że kocham was bardzo. Najbardziej na świecie… – odezwała się w końcu babcia.

– Teraz rozumiem ten babci „rytm dnia" – szepnęła Julia do ucha mamie na pożegnanie. Dwa tygodnie u babci nagle zaczęły zapowiadać się bardzo interesująco. Dziewczynka zamierzała poznać historię każdego zdjęcia w albumie.

– Tak… Babcia po prostu musi o siebie bardzo dbać – uśmiechnęła się mama.

Tej nocy, zanim Julia położyła się spać, przytuliła babcię wyjątkowo serdecznie.

– Jutro powiem ci, o co chodzi z tym Facebookiem. I może razem poćwiczymy?

Babcia pogłaskała Julię i przytuliła równie serdecznie. Nad głowami babci i wnuczki unosiły się obłoki miłości.

Każdy człowiek ma prawo do miłości, chce być kochany i czuć się bezpieczne. Kiedy kochamy – jesteśmy w stanie wiele poświęcić dla drugiej osoby.

Jest **miłość rodzinna** (rodziców do dziecka i dziecka do rodziców, miłość pomiędzy rodzeństwem czy krewnymi), **miłość do ojczyzny** (patriotyzm). Jest też **miłość platoniczna** (bezinteresowne duchowe uczucie) i **miłość przyjacielska** (wolna od pożądania) czy zmysłowa i gwałtowna **miłość romantyczna.**

Gdzie jest miłość, tam jest życie.
Mahatma Gandhi

– Kubusiu, jak się pisze MIŁOŚĆ?
– Prosiaczku, MIŁOŚĆ się nie pisze, MIŁOŚĆ się czuje.

Alan Alexander Milne

*Miłość sama w sobie jest nie do pojęcia,
ale dzięki miłości możemy pojąć wszystko.*
ks. prof. Józef Tischner

2
HISTORIA O TOLERANCJI
Nowa w klasie

– W naszej klasie jest nowa! – zakomunikował Miłosz po przyjściu ze szkoły do domu.

– Nowa tablica? – zgadywał tata.

– Hi, hi, nie! – roześmiał się Miłosz. – Nowa koleżanka! Ma na imię Ami i chyba jest Hiszpanką. Albo Wenezuelką. Albo Arabką. W sumie to nie wiem, zapytam ją jutro, skąd przyjechała, może dowiem się czegoś ciekawego! Bo ona, tato, ma taki piękny kolor skóry, jakby się cały czas opalała! No to chyba musi być z jakichś ciepłych krajów, nie?

– Niekoniecznie – wtrąciła się Julka, która wróciła do domu wcześniej i właśnie odrabiała pracę z biologii. – Bociany też przylatują z ciepłych krajów i wcale nie są opalone.

Skojarzenie było zabawne i Julia użyła go właściwe dla żartów, ale Miłosz wcale się nie roześmiał.

– No wiesz?! Nie porównuj Ami do bociana – oburzył się. – I nie nabijaj się z niej tylko dlatego, że nie jest „bladą twarzą" jak my.

– Wcale się nie nabijam. To miał być żart.

– Nieśmieszny.

– Przepraszam.

– No i co ta Ami?

– Jeszcze nie wiem, chyba fajna. Super wspięła się na pająka na placyku i szybko wycina figury z ćwiczeń. A jak mówi po angielsku! Szkoda, że nie zgłosiłem się, by być z nią w grupie. Grupie do zadania domowego. Na jutro mamy wyciąć dużo trójkątów, kół i kwadratów…

Następnego dnia Miłosz wstał wcześniej i poprosił rodziców, by wcześniej podwieźli go do szkoły. Miał nadzieję, że zdąży przed lekcjami porozmawiać z Ami. Przerwy są na rozmowy zdecydowanie za krótkie, a za gadanie na lekcjach ma już dwie uwagi, więc trzeciej złapać nie chciał. Ami siedziała już pod klasą. Ale, ale… Dlaczego płakała?

– Cześć! Stało się coś? – zapytał.

– Te dziewczyny. Robią sobie ze mnie śmiechy. Że ja po polsku rozmawiać mało i źle – wyznała dziewczynka. – Ja nie mówić. Już nigdy…

– No coś ty! Nie przejmuj się! One same niezbyt ładnie mówią po polsku, ciągle tylko „wypasione", „super" albo „masakra". A poza tym, im więcej będziesz rozmawiać, tym lepiej poznasz polski. Możesz rozmawiać ze mną! Bosko mówisz po angielsku! Podszkolę cię w polskim, a ty mnie w angielskim. Dil?

– Deal… – Ami przybiła piątkę z Miłoszem. Przestała płakać. Zrobiło jej się na sercu ciepło i dobrze. Zrozumiała, że nie wszyscy w jej nowej szkole są tacy, jak te dwie złośliwe dziewczyny. I że to może być jednak miły i ciekawy dzień.

Okazja do polsko-angielskich korepetycji nadarzyła się już po lekcjach. Okazało się, że oboje mieszkają na tym samym osiedlu. Wracali ze szkoły razem! Po Miłosza przyszedł tata, a po Ami mama, ale rodzice tak się zagadali, że drugoklasiści mogli spokojnie rozmawiać przez całą drogę, jakby szli sami. Ami nawet nie przejęła się, gdy zobaczyła dwie złośliwe dziewczyny z klasy. Stały pod budką z kebabem razem z Erykiem, starszym bratem jednej z nich, i wyraźnie robiły z kogoś żarty. Tym razem nie z Ami.

– Kiedy do nich dotrze, że dobry żart to taki, który śmieszy wszystkich, a nie tylko niektórych? – Miłosz był wyczulony na takie zachowanie.

Eryk wyciągnął komórkę i zaczął nagrywać starszego mężczyznę, którego strój rzeczywiście przyciągał uwagę. Dla Miłosza i Ami był to jednak powód do podziwiania jego pomysłu i odwagi, a dla Eryka i dziewczynek – do drwin.

Mężczyzna do wytwornego garnituru założył sportowe buty w kolorze wściekłego fluo i żółtą czapkę. Eryk postanowił uwiecznić tę stylówkę, pstrykając panu zdjęcie. Już za chwilę zdjęcie człowieka w kolorowych butach i czapce znalazło się z płaczącymi ze śmiechu emotkami w telefonach wszystkich znajomych Eryka. Wśród nich była także Julka, starsza siostra Miłosza.

„Spróbuj być bardziej tolerancyjny. Świat jest dla wszystkich, nie tylko dla ciebie" – odpisała Julia.

A Miłosz postanowił, że jutro porozmawia z dziewczynami. Zanim swoją bezmyślnością i brakiem tolerancji zarażą innych w klasie.

Tolerancja to zgoda na różnorodność ludzi i świata. Ludzie są sobie równi, ale są też cudownie różnorodni. Gdybyśmy wszyscy byli tacy sami, byłoby nudno. I nie potrzebowalibyśmy siebie wzajemnie.

Ludzie dzielą się na dobrych i złych. Narodowość, rasa, religia nie mają żadnego znaczenia. Tylko to, jakim kto jest człowiekiem.
Irena Sendlerowa

W dzieciństwie słyszałem od ojca, że podstawowym kryterium oceny człowieka jest jego uczciwość, nie zaś narodowość, pochodzenie czy wiara. Uczciwość!
Władysław Bartoszewski

Nie musimy akceptować cudzych przekonań, ale musimy akceptować prawo innych do ich posiadania.
Jodi Picoult

3
HISTORIA O WŁASNYM ZDANIU
Pani z tramwaju

– Nasza ulubiona pisarka! Pamiętasz? Mieliśmy iść na spotkanie autorskie – babcia Władzia była przekonana, że Miłosz zapomniał. To przecież jego ulubiona autorka książek z dzieciństwa. Gdyby nie zapomniał o spotkaniu, z pewnością byłby już gotowy do wyjścia.

Chociaż tak naprawdę ostatniej, najnowszej powieści nie przeczytał. A właściwie przeczytał, tylko nie dla siebie. Przeczytał Amelce i Hani – córkom wujka Maćka. Żałował, że autorka nie wymyśliła wersji przygód opowieści o detektywie dla starszych dzieci. Takich jak on teraz.

– Ale ja już wyrosłem z tych książek, babciu. Po co miałbym tam iść? Chociaż chyba jednak bym chciał… – przyznał po chwili zastanowienia Miłosz.

Czasem tak bywa, że nie wiadomo, czy czegoś się chce czy nie, czy ma się na coś ochotę czy nie. Czasem trudno zrozumieć, dlaczego tak jest. Wtedy dorośli mówią, by się szybko zdecydować. A przecież są takie momenty, że nie da się zdecydować od razu. Wtedy zazwyczaj pada z ust dorosłych: „Trzeba mieć własne zdanie". No pewnie, że trzeba, ale czasami można po prostu nie wiedzieć, czego się chce. I nie trzeba mówić, że się czegoś chce tylko z powodu strachu, że ktoś nam zarzuci brak własnego zdania. Najlepiej zastanowić się spokojnie, czego tak naprawdę się chce. Albo nie chce.

Babcia odczekała chwilkę, zanim zaczęła wyjaśniać, dlaczego chciałaby pójść na spotkanie. I to z Miłoszem. Wiedziała, że wnuczek musi chwilę porozmawiać sam ze sobą.

– A nie chciałbyś zobaczyć na żywo autorki książek, które tak cię fascynowały? Przekonasz się, jak wygląda, jaki ma głos. Zapytasz, skąd wzięła pomysły na te wszystkie detektywistyczne zagadki – babcia podsunęła Miłoszowi kawałki mango. Uwielbiał mango. – Wezmę kilka książek jej autorstwa, które kupiłam dla Hani i Amelki, i poproszę o autograf, a ty pójdziesz ze mną tak, dla towarzystwa, a potem skoczymy na lody.

– Zgoda – chłopiec już wiedział, czego chce.

Miłosz lubił jazdę tramwajem. Nigdy nie zajmował jednak miejsca siedzącego. Przesuwał się blisko okna, mocno chwytał się poręczy i obserwował świat. Z jadącego tramwaju wszystko wygląda zupełnie inaczej niż na przykład z jadącego autobusu, pociągu czy samochodu. W tej kwestii miał swoje zdanie. Tak jak babcia Władzia, która w tramwaju zawsze siadała. Tym razem także usiadła – tuż przy stojącym Miłoszu i obok zabawnej starszej pani, która pomyliła chyba tramwaj z restauracją. Z reklamówki, którą trzymała na kolanach, wyjmowała kawałki bagietki, maczała ją w czymś, co też skrywało się w reklamówce, po czym z nieznośnym mlaskaniem ten zupełnie niedietetyczny zestaw przepadał w otchłaniach jej paszczy. Dopiero teraz Miłosz zrozumiał, dlaczego – mimo tłoku w tramwaju – babcia Władzia bez trudu znalazła miejsce siedzące. Miejsce obok pochłaniacza maczanych w tłuszczu bagietek. Uśmiechnął się dyskretnie. Nie chciał się nabijać z tej pani, ale też nie mógł się powstrzymać, bo przecież jej biesiadowanie było zabawne. Nie zamierzał się jednak teraz nad tym zastanawiać. Mógł patrzeć przez okno!

– Zapomnieliśmy o biletach! – zerwała się nagle babcia Władzia. – Zaraz do ciebie wrócę. Muszę iść do kierowcy po bilety.

– Pani idzie, pani idzie – odezwała się pochłaniaczka tłustej bagietki. – Ja miejsca popilnuję. I wnuczka.

Babcia podziękowała i mrugnęła do Miłosza, którego już jedząca pani przestała bawić. Zaczęła denerwować. Też coś! Pilnować? Jego?

Nim zdążył wrócić do oglądania świata przez okno, poczuł, że jakiś potwór ciągnie go w kierunku siedzenia. Była to z pewnością gigantyczna ośmiornica z lepiącymi mackami! A nie, to pani od tłustych bagietek…

– Siadaj tu, dziecko. Bo zajmą wam miejsce.

Miłosz wyrwał się z lepiących macek kobiety-ośmiornicy. Obiema rękami chwycił się poręczy. Najmocniej jak potrafił.

– Nie, dziękuję! – powiedział stanowczo.

Pani Bagietka nie kryła oburzenia:

– Nie?! Co za bezczelność! To ja grzecznie proszę, a ty, dziecko, „nie"?

– Nie mam ochoty, proszę pani. I nie jestem bezczelny. Po prostu podziękowałem.

Babcia Władzia, która kupiła i skasowała bilety, przyglądała się całemu zajściu, wracając do Miłosza. Usiadła obok pani Bagietki i zabrała głos:

– Dziękuję za przypilnowanie miejsca. Wnuczek ma swoje zdanie. Jeśli nie ma ochoty siadać, nie trzeba go zmuszać. Wie pani, nie można robić czegoś tylko dlatego, że nie chce się komuś sprawić przykryci. Są, niestety, ludzie, którzy mogą to wykorzystać i skrzywdzić dziecko. Mogą na przykład poprosić o pomoc i…

Ale pani Bagietka już nie słuchała. Wzruszyła ramionami, zrobiła „phi" i – zostawiając resztki tłustej bagietki w reklamówce na siedzeniu – wysiadła z tramwaju. Widocznie to był jej przystanek.

Spotkanie z autorką książek o uroczym detektywie było naprawdę świetne. Miłosz ani przez chwilę nie żałował, że dał się babci na nie wyciągnąć. Przypomniał sobie, jak to było cudownie słuchać, gdy mama lub tata czytali mu książki przed zaśnięciem. A teraz sam czyta młodszym kuzynkom, kiedy u nich nocują. I już wiedział, co przeczyta im następnym razem. Wszystkie części przygód niesamowitego detektywa! Po kolei.

Postanowił, że podejdzie do pisarki i poprosi o autograf w książkach, które kupiła babcia.

– Dla kogo dedykacja? Dla ciebie? Jak masz na imię? – zapytała pisarka, widząc, że Miłosz jest trochę niepewny. Tak jej się przynajmniej wydawało.

– Jestem Miłosz. Ale to nie dla mnie… Dla Hani i Amelki – poinformował. I wszystko odbyłoby się dość szybko i bez komplikacji, gdyby autorka nie zadała kolejnego pytania:

– Podoba ci się książka? Czytałeś?

– Tak, czytałem. Jest… No, niezbyt… To znaczy podobałaby mi się, gdybym był młodszy. Niech się pani nie gniewa, że tak mówię. Dziewczynki są za to zachwycone i na pewno trzeba będzie przeczytać im ją jeszcze milion razy. Ale one są młodsze.

– Wiesz, to cenne, co mówisz. I ważne. Cieszę się, gdy czytelnicy mówią, że książka jest super, ciekawa, zajmująca. Ale jeszcze bardziej cieszy mnie ich odwaga, szczerość i asertywność. I wiesz, zainspirowałeś mnie. Następna książka będzie dla nieco starszych czytelników. Takich jak ty.

Miłosz był wniebowzięty. Nie bardzo, co prawda, wiedział, co to znaczy być asertywnym, ale skoro pisarkę ucieszyła jego asertywność, musiało to być coś cennego.

– O czym rozmawialiście? Zdradzisz? – zapytała babcia Władzia w drodze powrotnej do domu.

– Pani pisarka powiedziała, że napisze dla mnie następną książkę. I że to dobrze, że jestem asertywny. Jestem?

– Owszem, jesteś – babcia Władzia posłała Miłoszowi ciepłe spojrzenie.

Nigdy nie będzie tak, że wszyscy będą cię kochać. (…) lepiej mieć własne zdanie, niż próbować dogodzić innym.
Camilla Läckberg

Człowiek niepotrafiący zadbać o własne granice jest jak ogród bez ogrodzenia, z którego każdy może korzystać, kiedy tylko mu się podoba.

Jasper Juul

4
HISTORIA O SZACUNKU
To mój telefon!

– A jakbym to ja grzebała w twoim telefonie?!

– Tylko zerknąłem!

– Ładne mi „zerknąłem"! Przeglądałeś moje zdjęcia!

– Przecież nic takiego się nie stało!

– Jasne, poza tym, że wszedłeś bez pozwolenia do mojego pokoju i grze-ba-łeś w moim telefonie, to nic, zupełnie nic!

– Przecież ci mówię, że nie grzebałem. Przyszedł SMS i… ja… po pro-stu… byłem ciekawy.

– Ciekawość to pierwszy stopień do piekła.

– No weź, Julka! Nie strasz mnie! Przecież i tak byś mi to zdjęcie pokazała.

– To co innego! Nie można dotykać cudzych rzeczy bez zgody ich właściciela! Ani czytać cudzych mejli! Ani odbierać cudzych SMS-ów!

– Ale ty nie jesteś przecież cudza! Rodzina nie ma przed sobą tajemnic!

– Tu nie chodzi o tajemnicę, tylko o prawo do prywatności i szacunek do drugiego człowieka!

Z pokoju Julki dochodziły dźwięki świadczące o tym, że rodzeństwo wyjaśnia sobie coś bardzo ważnego. Tak ważnego, że trudno było powstrzymać nerwy i głos na wodzy.

Po burzliwym poranku nastała cisza. Wcale nie błoga, bo pod nią coś się czaiło. Rozżalenie Julki i zmarszczone czoło Miłosza, który próbował zrozumieć, co wspólnego ma obejrzane przez niego zdjęcie z szacunkiem.

– Co z wami? – zapytała mama, przyglądając się z niedowierzaniem milczącej scenie przy kolacji. – Co ma oznaczać ta cisza?

Ani Miłosz, ani Julka nie zdążyli odpowiedzieć. Odezwała się za to… woda! Kran zamienił się w syczącą fontannę! I to tańczącą, bo raz strumień wody sięgał do szafek, raz do sufitu. A jakby tego sufitu nie było, sięgnąłby i do nieba. Tata rzucił się na fontannę z zamiarem zatkania cieknącego kranu, jakby ćwiczył zapasy.

– Dajcie ręczniki! – krzyczał. Julka szybko przyniosła wszystkie, które znalazła w łazience. A Miłosz włożył kalosze i rozłożył parasol, który zerwał z wieszaka w przedpokoju. Mama natomiast zadzwoniła do pana Krzysztofa, człowieka, który potrafił naprawić wszystko. Pan Krzysztof to prawdziwa „złota rączka", zna się na takich awariach jak mało kto. Powiedział, żeby zakręcić główny zawór wody i że zaraz przyjdzie.

Fachowiec szybko uporał się z awarią. Julka i Miłosz woleli jednak przeczekać sprawdzenie, czy wszystko działa, w swoich pokojach. Wiedzieli już, że kalosze i parasolka nie sprawdzają się w przypadku domowej fontanny. Woda leci z góry prosto do kaloszy, a ta, która nie mieści się w kaloszach lub odbija się od podłogi, wdziera się pod parasol.

Dobrze zrobili, bo to była grubsza awaria. Grubsza, czyli większa i poważniejsza niż pan Krzysztof początkowo ocenił. Julka i Miłosz nie musieli się znów przebierać. Za to pan „złota rączka" tak. Tata pożyczył mu swoje ubranie.

– Szacunek, drogi panie, szacunek – powtarzał przed wyjściem pan Krzysztof, ściskając rękę taty. – Nie sądziłem, że to aż taki problem. Ale z kranem na pewno już wszystko w porządku. Jeszcze raz dziękuję za ubrania. Odniosę je jutro. – Znów się ukłonił i powiedział: – Szacunek, drogi panie, szacunek.

– Szacunek dla pana, panie Krzysztofie. Bez pana nie poradziłbym sobie. Bardzo dziękuję! – tata odprowadził pana Krzysztofa do drzwi.

– Znów ten szacunek – pomyślał Miłosz. – I nagle wszystko zaczęło mu się w myślach układać. Już rozumiał! Pobiegł do swojego pokoju, wyjął notes i zaczął zapisywać własną definicję tego pojęcia: – Traktuję siostrę z szacunkiem, czyli na przykład nie odbieram skierowanych do niej SMS-ów, a jak coś od niej pożyczę, to oddam i wcale tego nie znisz-

czę. Traktuję tatę z szacunkiem, czyli na przykład dziękuję mu za pomoc albo nie śmieję się z tego, że nie potrafi sam naprawić kranu. Traktuję mamę z szacunkiem, czyli – dajmy na to – nie udaję, że nie słyszę, gdy prosi, bym posprzątał w pokoju. Traktuję z szacunkiem sąsiadkę, czyli na przykład mówię jej „dzień dobry", chociaż wygląda dziwnie i w sumie słabo ją znam. Okazuję szacunek pani w szkole, czyli – powiedzmy – nie spóźniam się na lekcję i nie rozmawiam z Witkiem, kiedy pani coś do nas mówi. I jeszcze szacunek do kolegi i koleżanki – nie wyśmiewam, nie plotkuję, nie obrażam, nie lekceważę...

Postanowił opowiedzieć o swoim odkryciu mamie.

– Bardzo podoba mi się twoja rozbudowana definicja szacunku, Miłoszku – ucieszyła się mama. – Ale wiesz co? Zapomniałeś o sobie.

– Jak to? – zdziwił się chłopiec.

– To bardzo ważne, by siebie też traktować z szacunkiem.

– Czyli jak? Mam mówić sobie „dzień dobry" i nie odbierać swoich SMS-ów?!

– Nie, kochanie. Po prostu o siebie dbaj. Częściej wstawaj od komputera, wcześniej chodź spać, dbaj o swoje zdrowie, na przykład myjąc zęby – mama uśmiechnęła się i dodała, spoglądając na Pioruna: – A jak teraz wyjdziesz na dwór z psem, dołożysz jeszcze jedno zdanie do swojej definicji szacunku.

– Co masz na myśli, mamo? Że… mogę okazać szacunek Piorunowi?

– Jasne, że tak! Dbając o niego, karmiąc go, chodząc na spacery czy do weterynarza, okazujesz mu szacunek.

– Prawo do szacunku to jedno z najważniejszych, podstawowych praw każdego człowieka – dodał tato. – Szczególną uwagę zwracał na nie Janusz Korczak.

– Ten sam, który napisał „Króla Maciusia Pierwszego" i „Kajtusia czarodzieja"? – dopytywał Miłosz.

– Dokładnie tak. To jeden z największych przyjaciół dzieci – dopowiedział tato, który Korczaka nazywał pierwszym na świecie rzecznikiem praw dziecka.

– Niesamowite… – Miłosz był pod wrażeniem. – Jakie to supersłowo ten szacunek. No to lecę z Piorunem na dwór. Szacunek, szanowna pani, szacunek – zwrócił się do mamy, trochę dla żartu (przypominając sobie wizytę pana Krzysztofa), a trochę nie. – A właściwie ten szacunek to nie słowo, to działanie...

Szacunek to sposób, w jaki powinniśmy traktować innych i siebie.
Traktować kogoś z szacunkiem to być dla kogoś dobrym, liczyć się z jego zdaniem, traktować go poważnie..
Nie traktujemy kogoś z szacunkiem, jeśli przezywamy go czy obgadujemy, odchodzimy, kiedy do nas mówi, niszczymy jego własność lub zaglądamy do jego telefonu bez pozwolenia albo nie dotrzymujemy słowa.

Nieważne jest w moich oczach, czy człowiek będzie mniej czy więcej posiadał. Ważne jest, czy będzie mniej czy bardziej człowiekiem.
Antoine de Saint-Exupéry

Dziecko ma prawo być sobą. Ma prawo do popełniania błędów. Ma prawo do posiadania własnego zdania. Ma prawo do szacunku.
Janusz Korczak

Przyjaźń wypływa z wielu źródeł, z których największym jest szacunek.
Daniel Defoe

5
HISTORIA O WOLNOŚCI
Stara księga

K każda rodzina ma co najmniej jeden skarb, z którym związana jest ciekawa historia. Dziadek Julki i Miłosza otwiera w wyjątkowych sytuacjach wielką księgę. Takie chwile to na przykład nocowanie u niego wnuków. Księga jest bardzo stara i napisana po mandżursku. Dziadek dostał ją od swojego dziadka. Mandżurski zna niewiele osób na świecie – dwieście, może sto. Tak naprawdę nikt nie wie, czy rzeczywiście napisana jest po mandżursku, ponieważ ani dziadek, ani Miłosz, ani Julka, ani nikt, kto księgę widział, nie zna tego języka. Na dodatek – jak zauważył Miłosz – dziadek „czyta z pamięci" i potrafi to robić nawet wtedy, gdy przypadkiem chwyci księgę do góry nogami.

– Dziadku, opowiedz, znaczy PRZECZYTAJ nam baśń o wolności! – poprosił Miłosz.

Księga leżała w zielonym pudełku. Prawie już się rozleciała. Dziadek zamierzał zanieść ją po niedzieli do pana Leszka, introligatora, który był lekarzem starych książek. Miłosz nie był pewien, czy treść baśni po takim reperowaniu się nie zmieni, postanowił więc namówić dziadka na wieczór ze starą księgą.

Dzieci doskonale znały baśń, słyszały ją chyba ze sto razy – prawie za każdym razem, kiedy nocowały u babci i dziadka, namawiały dziadka na „czytanie" księgi. Przyglądanie się cudownym znaczkom, którymi była zapisana i „czytanie" baśni przez dziadka stało się punktem obowiązkowym każdej wizyty. Tak jak serniczek, który robiła na tę okazję

babcia. Dzieci jadły go też ze sto razy i wcale im się nie znudził. Nocowanie nie mogło odbyć się bez serniczka i mandżurskiej baśni.

– Żył pewien człowiek – zaczął, jak zwykle, dziadek. I, jak zawsze, dzieci zapytały:

– Jak miał na imię ten człowiek?

– Nikt nie wiedział, jak mężczyzna miał na imię – „czytał" dziadek, na bieżąco tłumacząc tekst baśń na język polski.

– Ale przecież jakoś go nazywali? – dopytywał Miłosz.

– Mówili do niego: panie Ogrodniku. Był niewolnikiem, należał do ludzi, którzy mieli wielki dom i ogród. Pan Ogrodnik zajmował się ogrodem, miał tam także swoją maleńką chatkę, do której mieścił się tylko on. Nigdy nie opuścił terenu ogrodu, którym się opiekował. Poza pracami w ogrodzie, nie mógł nic zrobić bez zgody jego właścicieli. Nie mógł zostawić ogrodu ani nigdzie wyjechać. Zresztą, gdzie miałby wyjechać? I tak nie miał żadnej rodziny, przyjaciół, znajomych...

I tak żył pan Ogrodnik już trzydzieści lat. Kiedyś człowiek, który przywiózł mu nowe rośliny do ogrodu, zapytał, czy nie tęskni za wolnością. Powiedział, że nie, bo ma tu wszystko, co potrzeba. Świat poza ogrodem wydawał mu się straszny, pełen zagrożeń i obcy. Nie znał go i nie miał ochoty poznać. Musiałby martwić się o jedzenie, miejsce do spania, pracę. W ogrodzie miał to wszystko. To, że w zamian za to nie może opuścić ogrodu, nie może decydować o swoim życiu, nie było dla niego problemem. Tak powiedział. Ale czy naprawdę tak myślał – nie wiadomo.

Któregoś dnia ludzie, w których ogrodzie żył i pracował pan Ogrodnik, wyjechali. Właścicielami ogromnego domu, ogrodu i pana Ogrodnika stali się inni ludzie, którzy podarowali panu Ogrodnikowi wolność. „Możesz zrobić, co zechcesz" – powiedzieli. – „Nie jesteś już niewolnikiem".

Okazało się, że ludzi takich jak pan Ogrodnik było wielu. Wszyscy cieszyli się z wolności i opuszczali miejsce swojego dotychczasowego życia. Pan Ogrodnik uznał, że i on w takim razie powinien odejść. Nie wiadomo, gdzie wówczas był, ale na pewno dużo tam myślał. Jednak po tygodniu wrócił do starego domku w ogrodzie.

„Dlaczego wróciłeś?" – pytali właściciele ogrodu i ogromnego domu. – „Przecież jesteś wolnym człowiekiem. Możesz robić, co chcesz i gdzie chcesz".

„Ludzie pytali mnie, jak mam na imię, skąd jestem, dokąd idę, co zamierzam i o czym marzę. A ja nie wiedziałem, co powiedzieć poza tym, że marzę o powrocie do moich roślin i domku w ogrodzie" – tłumaczył pan Ogrodnik, dla którego ogród był całym światem. Zrozumiał to jednak dopiero, kiedy był wolny i mógł wybrać – zostawić ogród czy w nim zostać.

„Będziemy mówić do ciebie: Szymonie Ogrodniku" – zaproponowała pani z ogromnego domu. – „Opiekuj się ogrodem, jeśli chcesz i możesz. Będziemy ci za to płacić, bo to ważna praca, na której się nie znamy. Możesz też zamieszkać z nami. Dom jest dla nas za duży". – Ale Szymon Ogrodnik wolał dalej mieszkać w chatce w ogrodzie. Za pieniądze, które dostawał, mógł teraz ją rozbudować i ocieplić. – „Cieszę się, że zostaniesz z nami i tu będziesz się uczył wolności" – powiedziała pani z ogromnego domu.

– Wolności trzeba się uczyć? – zawsze w tym momencie opowieści Julka zadawała to pytanie. Jeśli nie na głos, to w myślach. I zawsze dziadek przypominał ich wspólne i ukochane „weekendy wolności", za którymi przepadali. Miłosz i Julka sami decydowali wtedy o tym, jak będzie wyglądał weekend z dziadkami. Ze śmiechem wspominali pierwsze menu (żelki z ketchupem) i to, że już po dwóch godzinach wydali pieniądze przeznaczone na dwudniowe przyjemności. Już po kilkunastu „weekendach wolności" Julka i Miłosz wiedzieli, że wolność jest nie tylko wtedy, gdy nikt ich do niczego nie zmusza, ale też wtedy, gdy nie czekają, aż ktoś coś zmieni, tylko sami starają się to robić. I jeszcze dowiedzieli się, że korzystanie z wolności wcale nie jest takie łatwe, bo ciągle trzeba liczyć się z innymi ludźmi. Na przykład z panią sąsiadką, która niedawno urodziła dziecko. Jak wiadomo, małe dzieci śpią nie tylko w nocy, ale i w dzień. Słuchanie muzyki na maksa nie było więc dobrym pomysłem na „weekend wolności".

Wolność to
sytuacja, w której możemy robić
to, co chcemy, możemy się na coś zgodzić albo
odmówić i nikt do niczego nas nie zmusza.
Nie wszyscy ludzie mają szczęście żyć w wolnym kraju.
Nie we wszystkich państwach można też pisać i mówić,
co się każdemu podoba. Władza w niektórych państwach niestety narzuca, co trzeba mówić,
myśleć, w co wierzyć...

Sekretem szczęścia jest wolność...
A sekretem wolności jest odwaga.
Tukidydes

Najważniejszym rodzajem wolności
jest bycie tym, kim naprawdę jesteś.
Jim Morrison

Czym więc jest wolność?
Moc, by żyć tak, jak się chce.
Marcus Tullius Cicero

6
HISTORIA O EMPATII
Rozumiem, co czujesz

Julka uwielbia taniec i śpiew, a najbardziej musical, który łączy taniec, muzykę, piosenki i dialogi. Marzy o wyjeździe do Londynu i na Broadway w Nowym Jorku. Tam jest więcej teatrów musicalowych niż w Polsce. Niektóre, jak Broadway, są bardzo słynne. Nie może doczekać się wakacji. Tato obiecał, że zabierze ją i Miłosza na wycieczkę do Nowego Jorku. Broadway ma być obowiązkowym punktem tej wyprawy. I oczywiście Muzeum Historii Naturalnej, które Miłosz znał z opowieści taty i z filmu „Noc w muzeum", który wspólnie oglądali chyba ze sto razy.

Zawsze w maju weekendowa szkoła musicalowa, do której chodzi Julka, organizuje wielki spektakl. Przygotowania do niego trwają cały rok. Piękne teatralne stroje, dekoracje, światła, makijaż, skomplikowane układy taneczne, występy wokalistów – to wszystko wymaga ogromnej pracy. Efekt jest wspaniały! Nikt w szkole musicalowej nie narzeka, że musi pracować, ponieważ kocha to, co robi i wie, że czerwcowy występ będzie szczególną chwilą, na którą warto czekać, nawet z bolącymi po treningach nogami.

Andżelika przeżywa majowy występ tak samo jak Julka, jej najlepsza przyjaciółka. Nie chodzi do szkoły musicalowej, ale kibicuje Julce, doskonale rozumie, co przeżywa i cieszy się, że w tym roku to Julka będzie miała solówkę w jednym z układów. Będzie śpiewała i tańczyła z przodu. I zrobi takie niesamowite salto!

– Super, że jesteś! Gdyby nie ty, zwariowałabym z nerwów – przyznała przed spektaklem Julka, ściskając Andżelikę za kulisami.

– Przecież od tego są przyjaciele! – roześmiała się Andżelika. – I już wyluzuj. Jesteś rozśpiewana, rozćwiczona. Każdy ruch i nutkę znasz na pamięć. Wszystko będzie cudownie! Cała twoja rodzinka i ja trzymamy kciuki! – powiedziała Andżelika i dała przyjaciółce symbolicznego kopniaka na szczęście, po czym szybko zajęła miejsce na widowni, które trzymał dla niej Miłosz.

Było wspaniale! Aż nie chciało się, żeby spektakl się skończył. Adżelika czuła się, jakby tańczyła i śpiewała razem z Julką. Cieszyła się, widząc szczery uśmiech przyjaciółki, kiedy kłaniała się w rytm oklasków po swoim występie. Po spektaklu natychmiast pobiegła za kulisy. Ściskała koleżankę:

– Teraz wszystko rozumiem! Wiem, dlaczego to tak przeżywałaś! To niesamowite emocje! Julka, było super!

– Tak! Taaaak! – Julka szczerze się cieszyła.

Ponieważ grupa musicalowa musiała jeszcze zostać po spektaklu, przyjaciółki – po pstryknięciu kilku wspólnych fotek za kulisami – umówiły się na spotkanie następnego dnia.

Niestety, Julka nie przyszła… Andżelika czekała przy stoliku w ich ulubionej pizzerii. Zamówiła hawajską, która zdążyła już ostygnąć. Nie miała w zwyczaju wydzwaniać i dopytywać, dlaczego Julki jeszcze nie ma, ale ponieważ Julka nigdy, przenigdy się nie spóźniała, postanowiła jednak zadzwonić.

– Cześć, co tam u ciebie? – Zamiast odpowiedzi usłyszała ciche chlipanie. – Julka, ty płaczesz? Co się stało?!

– Ktoś mi napisał straszne rzeczy w komentarzach pod zdjęciami z występu… Że wyglądam jak… I nie umiem tańczyć… I nie powinnam mieć solówki… – Julka mówiła bardzo cicho. Zawsze tak robiła, kiedy było jej przykro. Andżelikę aż ścisnęło w środku.

– Kto takie głupoty pisze? Przecież to nieprawda! To jakiś złośliwy hejter! W ogóle się nie przejmuj! Za to przejmij się tym, że hawajska już wystygła i przyjdź tu szybko!

Zimna pizza wcale nie była taka zła. Nawet zimna pizza może smakować, kiedy jesz ją razem z prawdziwym, empatycznym przyjacielem. Dziewczynki szybko ustaliły, kim jest hejter. To Ewa, która w tym roku nie miała żadnej solówki.

– Przecież nie zawsze można mieć solówki. Ja nie miałam w zeszłym roku, a Ewa tak. Pewnie będzie znów występować solo za rok – analizowała sytuację Julka i nie mówiła już tak cichutko.

– To bez sensu, że tak zareagowała – dopowiedziała Andżelika.

– A najbardziej bez sensu jest to, że obraziła się w ogóle na wszystkich i nie przyszła na spektakl. To znaczy przyszła, ale siedziała na widowni. I napisała jeszcze, że jestem gwiazdą na tle słabych tancerek, które próbowały coś robić na tyłach…

– Sobie zrobiła na złość, nie wam! Ominęły ją takie wspaniałe emocje! I co za podłość! Chce dokuczyć wszystkim! Wiesz co, zablokuj ją! – Andżelika uznała, że miarka się przebrała.

Julka wybrała jednak inną opcję. Zablokowała możliwość komentowania zdjęć. Trochę to trwało, zanim przestała przejmować się zachowaniem Ewy, ale w końcu się udało.

– Nie każdy ma dar empatii – podsumowała historię mama, której Julka o wszystkim opowiedziała. – Zazdrośni i złośliwi ludzie to z reguły bardzo nieszczęśliwe osoby.

Miłosz, który przysłuchiwał się relacji Julki, szybko sprawdził w necie, co oznacza to słowo „empatia".

– Empatia, tak, empatia, o to chodzi, empatia, empatia! – gadał jak najęty, zbiegając po schodach ze swojego pokoju.

– Co się stało, Miłoszku? – zainteresowała się mama przytulająca Julkę.

– Słuchajcie, jest sprawa… – chłopiec zadyszał się troszkę, musiał więc zrobić przerwę na oddech. W tym czasie Julia i mama zamieniły się w słuch, co wyglądało tak, że usiadły prosto, skierowały wzrok na Miłosza i czekały na to, co powie. – Wiecie, że mamy w szkole kolegę, który choruje?

– Wiemy – odpowiedziały razem mama i Julka.

– A wiecie, że on nie musi być w szpitalu ani w domu, tylko może wrócić do szkoły?

– To świetnie!

– Ekstra! Kiedy wraca? – zainteresowała się Julka.

– No właśnie… Chodzi o to, że on może, ale nie chce. A dokładniej: chce, ale się potwornie boi tego powrotu.

– Boi?

– Czego się boi?

– Boi się, że ktoś będzie mu dokuczał tak, jak ta twoja Ewa. Że będą się z niego śmiać i mu dogryzać. Wiesz, jacy potrafią być ludzie!

– To on też tańczy?

– Nie, on po prostu wygląda trochę inaczej niż kiedyś. Inaczej niż większość dzieci w szkole.

– Jak to? A co mu się stało?

– Wypadają mu włosy i musiał je obciąć na bardzo, bardzo krótko.

– Przecież nie każdy musi mieć długie włosy – Julka trochę nie rozumiała, w czym problem.

– No tak, ale zrozum, on prawie nie ma ich wcale… I dlatego wymyśliłem, że ja też nie będę ich miał. Wcale! Tato, pójdziesz ze mną do fryzjera? Chcę obciąć się na łyso!

– Brat, ale wymyśliłeś! Naprawdę chcesz to zrobić? – nie mogła uwierzyć Julka. Miłosz długo zapuszczał włosy i dopiero niedawno udało mu się uzyskać wymarzoną fryzurę. A teraz był gotów poświęcić to, by jego kolega lepiej się poczuł i zobaczył, że to niestraszne, że są ludzie, którym na nim zależy.

– I to się nazywa empatia – podsumowała mama, dumna, że jej syn wpadł na taki pomysł wsparcia kolegi. – Wkładaj buty, idziemy!

Empatia to inaczej
zdolność **współodczuwania**, czyli
wyobrażenia sobie, co może czuć, przeżywać lub
myśleć inna osoba, spojrzenia na świat oczami innych.
Jesteśmy empatyczni, jeśli cieszymy się razem z kimś,
kiedy jest szczęśliwy i smucimy się, gdy spotyka go
coś nieprzyjemnego, ale też wspieramy go
w tej chwili.

Rozumieć potrzeby drugiej osoby nie oznacza rezygnacji ze swoich własnych. Oznacza natomiast okazanie drugiej osobie, że jesteś zainteresowany zarówno swoimi, jak i jej potrzebami.

Marshall B. Rosenberg

(...) nie osądzaj nikogo, dopóki
nie staniesz przy jego kowadle
i nie popracujesz jego młotem.

Rick Riordan

Może wojny wciąż wybuchają dlatego, że jeden nigdy
w całej pełni nie może czuć tego, co cierpi drugi?

Erich Maria Remarque

7

HISTORIA O ODWADZE

To nie jej wina

Miłosz wyraźnie kulał.

– Stało się coś poważnego? – zapytał tata.

Miłosz pokręcił uspokajająco głową:

– Zaraz przejdzie. To przez to, że Zuzka często zmienia zdanie – odpowiedzi Miłosza niestety nic nie wyjaśniały.

– Jak to? – dopytywał tata. – Noga, zmienianie zdania, Zuzka… – próbował połączyć kropki, czyli powiązać fakty i osoby, żeby wyszedł z ich zestawienia jakiś konkret. W końcu się poddał: – To ja już nic nie rozumiem – stwierdził i postanowił poczekać, aż Miłosz sam mu wszystko opowie.

– Chodzi o to, że pani Temperówka zapytała, gdzie chcemy iść na WF: na boisko czy do parku. Większość zadecydowała, że na boisko. Przeważył jeden głos. Ucieszyliśmy się z chłopakami, że będziemy mogli pograć w piłę. Po chwili jednak wszystko się zmieniło, bo Zuzia powiedziała, że się pomyliła i chciała zagłosować na park.

Miłosz wiedział, że się nie pomyliła, tylko zmieniła zdanie, ponieważ jej koleżanki, które wolały pójść do parku, miały do niej pretensje. Wolała jednak skłamać niż odważnie to przyznać. Pani Temperówka uwzględniła „pomyłkę" Zuzanny. Klasa Miłosza nie rozegrała tego dnia meczu na boisku, tylko poszła do parku.

– Dlaczego to zrobiłaś? Przez ciebie musieliśmy chodzić po tym nudnym parku – zaraz po powrocie do szkoły Witek zaatakował Zuzię. On najbardziej cieszył się z planowanego meczu. Chwycił plecak dziewczynki i rzucił go pod jej nogi.

– Tak wyszło… – powiedział Zuzanna.

– Ale dlaczego zmieniłaś zdanie? Powiedz!

– Po prostu zmieniłam zdanie – dziewczynka nie zamierzała nic więcej mówić.

– Ktoś cię namówił?

– Nikt.

Witek przestał pytać. Szeptał jednak coś ciągle innym, pokazując palcem na Zuzię.

– Jeśli masz coś do mnie, powiedz. Brakuje ci odwagi? Nic nie poradzę na to, że zmieniłam zdanie, już tego nie odkręcę. W parku było całkiem fajnie.

Witka zabolało to, że koleżanka zarzuciła mu tchórzostwo. Uważał się za superodważnego człowieka.

– Zepsułaś nam fajny mecz. Jesteś wstrętną krętaczką! – prawie wykrzyczał to, co myślał.

Kiedy Zuzia się denerwowała, tupała nogą. Teraz wyraźnie się zdenerwowała, bo jej tupnięcia były wyjątkowo hałaśliwe i mocne. Miłosz chciał wyjaśnić Witkowi, że nie powinien jej przezywać, że tak naprawdę nic się nie stało, bo w piłkę mogą pograć po lekcjach. Chciał pomóc, mimo że wiedział, iż broniąc koleżanki, narazi się chłopakom. Podszedł do Zuzki i… Poczuł jej kolejne tupnięcie na swojej stopie.

– Ała! – krzyknął z bólu. Zdenerwowanie dziewczynki było silniejsze niż przypuszczał. Zgiął się z bólu wpół, łapiąc się za obolałą nogę. Popchnął przy tym Zuzkę, która, przewracając się, popchnęła Witka. Wszyscy leżeli na ziemi.

Wtedy do szatni weszła pani Temperówka.

– Co to za nowe sposoby integracji? – zapytała.

– Proszę pani, Zuzka mnie zaatakowała! – Witek próbował zrzucić wszystko na koleżankę.

– Oszalałeś? – znów odważnie odezwał się Miłosz. – Przecież ona próbowała z tobą rozmawiać, chciała wyjaśnić sprawę, a ty zacząłeś ją przezywać i dlatego się zdenerwowała. A ta „integracja", to znaczy to, że

wszyscy są na podłodze, to moja wina. Potknąłem się o stopę Zuzanny, przewróciłem ją, a ona wpadła na Witka.

– Skoro tak, powinieneś przeprosić Zuzię, Witku – powiedziała pani Temperówka. – Wracajmy do klasy.

– Przepraszam cię za to, że uderzyłam cię w nogę – wieczorem Zuzia przysłała do Miłosza SMS.

– Nie ma sprawy. Stopa już OK – odpisał chłopiec.

– Jesteś bardzo odważny, Miłosz. I wiesz, lubię cię.

– Ja też cię lubię. Tylko nie zmieniaj tak często zdania, proszę. – Miłosza ucieszyło to, że ktoś uznał go za odważnego. Sam jednak nie uważał, że zrobił coś szczególnego, po prostu powiedział, co myślał. Chciał, żeby Zuzia nie była niesprawiedliwie posądzona o dokuczanie Witkowi, skoro to on dokuczał jej. To nie wymagało od niego specjalnego poświęcenia czy odwagi. Odważna była według niego ciocia Henia Krzywonos, która kiedyś pracowała w Gdańsku jako motornicza tramwajów. Zaciągnęła w jednym takim tramwaju hamulec, mówiąc pasażerom, że ten tramwaj dalej nie pojedzie. I był to początek ważnego strajku, do którego dołączyli inni kierowcy tramwajów i autobusów. A wszystko to było częścią większego ruchu – tak zwanych wydarzeń sierpniowych, w których uczestniczyli odważni jak ciocia Henia ludzie. Zależało im na tym, żeby Polską nie rządzili ludzie, którzy łamią prawa człowieka, nie pozwalają innym mówić, co myślą i nie liczą się z nimi. Ciocia Henia imponuje Miłoszowi, bo zawsze mówi to, co myśli, szczególnie kiedy inni nie mają odwagi o tym powiedzieć.

Odwaga jest początkiem działania, szczęście jest jego końcem.
Demokryt

Odwaga to umiejętność panowania nad strachem, a nie brak strachu.
Mark Twain

8

HISTORIA O NADZIEI
Nieudany występ

Od zawsze Julka marzyła o tym, żeby zostać nauczycielką, jak jej mama. Ulubioną zabawą jej i młodszego brata była zabawa w szkołę. Miłosz był klasą – wcielał się w dziesięć osób, a Julka w nauczycielkę. Radość z marzeń popsuł jej pewien nieudany występ.

Dziś Julka chodzi do piątej klasy i uwielbia występować, ale nie zawsze tak było. Szczególnie po przygodzie z wierszem na lekcji polskiego. Miała ogromną tremę, gdy przyszło jej pierwszy raz wystąpić przed nową klasą. A przecież była to tylko recytacja wiersza, który miała wykuty na blaszkę. Bała się, że gdy zapomni słów, zacznie się jąkać. Zdarzyło się jej to już kilka razy w szkole, kiedy musiała odpowiadać przy tablicy.

Pani Literka od języka polskiego miała odpytywać wszystkich z „wiersza na pamięć". Julka przygotowała się do tego solidnie. Nauczyła się wiersza, wyrecytowała go kilka razy przed lustrem. Nagrała się nawet na telefon, odsłuchała nagranie kilka razy, po czym zaprezentowała wiersz rodzicom i babci. Była tak dobrze przygotowana, że mogła powiedzieć tekst od końca – od ostatniej zwrotki do pierwszej. Jednakże, kiedy na lekcji słuchała, jak inni recytują, coraz bardziej zaczynała się denerwować.

Przyszła kolej na nią. Zaczęła świetnie. Gdy była w połowie wiersza, usłyszała, że siedząca w pierwszej ławce Magda powtarza szeptem wypowiadane przez nią słowa – jakby była jej echem. Zapewne też się denerwowała i powtarzała sobie wiersz, bo dobrze go nie opanowała, ale Julce bardzo to przeszkadzało. Z każdym słowem coraz bardziej. Aż wreszcie sama zaczęła powtarzać szepty Magdy. I tak wyszło, jakby zapomniała słów i powtarzała w kółko jeden i ten sam wers. Straciła pewność siebie i stało się to, czego najbardziej się bała – zaczęła się jąkać.

– Następnym razem lepiej się przygotuj – powiedziała pani Literka. – Widziałam, że Magda musiała ci podpowiadać.

Julka była załamana. I nie chodziło tylko o słabą ocenę, którą dostała. Zła była na to, że oskarżono ją o coś bezsensownego – i to podwójnie. O to, że się nie przygotowała i trzeba jej było podpowiadać. W końcu sama zaczęła w to wierzyć.

– Do niczego się nie nadaję – zwierzyła się przyjaciółce.

– Co ty mówisz? To nieprawda! – na wsparcie Andżeliki zawsze mogła liczyć.

– Na pewno nie nadaję się do występów przed większą grupą osób – upierała się przy swoim Julka. – Moje marzenia o byciu nauczycielką nie mają sensu.

Nad marzeniami i planami Julki zawisły czarne, gradowe chmury. Wracała ze szkoły ze spuszczoną głową. Nie poczekała nawet na Andżelikę. I wcale się już jej nie chciało bawić w szkołę z Miłoszem.

– Pokonasz to – usłyszała nagle za sobą znajomy głos. – To była jej BFF. – Wiem, że umiałaś ten wiersz. Mnie Magda też bardzo przeszkadzała podczas recytacji. Dlatego tak szybko mówiłam. I też nie jestem najszczęśliwsza, ale żeby od razu z tego powodu rezygnować z marzeń? No coś ty!

– Tak myślisz? Mam jakąś szansę? – słowa Andżeliki były jak lekarstwo, jak słońce w mroczny dzień.

– Tak, oczywiście! Mój tata mówi, że we wszystkim jest jak w sporcie: czasem się wygrywa, czasem przegrywa. Ale jeśli nie wygrasz zawodów, to nie znaczy, że masz przestać być sportowcem. I tak samo jest u ciebie. Jeden nieudany występ nie oznacza, że się do czegoś nie nadajesz. To tylko jedno małe niepowodzenie. Dlaczego masz przez to rezygnować z marzeń i tracić nadzieję?

– Masz rację. Już mi lepiej. „Masz tę moc, masz tę mooooc!" – zaśpiewała Julka, robiąc trzy obroty wokół własnej osi.

– To nie ja – uśmiechnęła się Andżelika. – To nadzieja ma magiczną moc. Dzięki niej świat wygląda pogodniej, odzyskujesz siłę i wracają dobre myśli.

– A słyszałaś o Irenie Sendlerowej? – rozmowa o sile nadziei przypomniała Julce tę postać, która w jej domu była symbolem dobra i odwagi. – To taka pani, która w czasie wojny ratowała żydowskie dzieci. Wynosiła je z getta, gdzie skazane były na śmierć. Chociaż to było bardzo niebezpieczne i trudne, uratowała dwa i pół tysiąca dzieci! Pewnie gdyby nie nadzieja, że uda się je ocalić, miałaby mniej siły i byłoby jej jeszcze trudniej.

– Niesamowita historia! – przyznała Andżelika. – Musisz mi więcej o tej pani opowiedzieć...

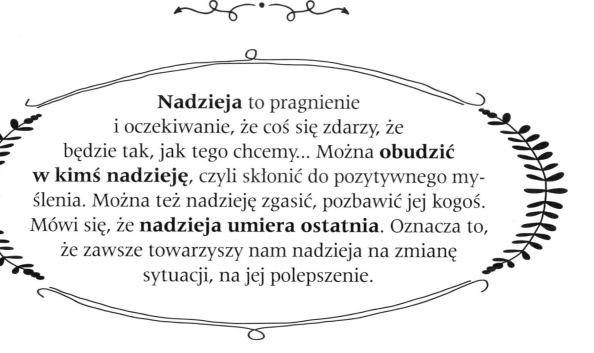

Nadzieja to pragnienie i oczekiwanie, że coś się zdarzy, że będzie tak, jak tego chcemy... Można **obudzić w kimś nadzieję**, czyli skłonić do pozytywnego myślenia. Można też nadzieję zgasić, pozbawić jej kogoś. Mówi się, że **nadzieja umiera ostatnia**. Oznacza to, że zawsze towarzyszy nam nadzieja na zmianę sytuacji, na jej polepszenie.

Głupio jest nie mieć nadziei.
Ernest Hemingway

Nadzieja prowadzi dalej niż strach.
Ernst Jungher

9
HISTORIA O PRZYJAŹNI
Wyprawa rowerowa

D o miasta Julki i Miłosza wreszcie przyszła wiosna. Zawitała do parków i na podwórka. Zrobiło się ciepło. A jak po zimie robi się ciepło, to od razu dzieci porzucają zimowe buty i ubrania, i przychodzą im do głowy odlotowe pomysły.

Miłosz z Maćkiem wymyślili rowerową wyprawę. Pierwszą w ich życiu bez rodziców. Byli przecież już w trzeciej klasie i doskonale znali ścieżki rowerowe, po których jeździli z rodzicami ze sto tysięcy razy. Przekonali do swojego pomysłu jeszcze pięciu chłopców. Pozostało tylko przekonać rodziców, by im na taką wyprawę pozwolili.

– Tato, mamy plan – przystąpił do rozmowy Miłosz.

– My, czyli kto? – tata wiedział, że szykuje się coś niezwykłego.

– My, czyli: ja, Maciek i jeszcze pięciu chłopaków z naszej klasy.

Miłosz porządnie przygotował się do rozmowy. Pokazał tacie mapę, na której były zaznaczone trzy części zaplanowanej trasy. Na końcu każdej z nich mieli czekać rodzice. Ale drogę od rodziców do rodziców chłopcy mieli pokonać sami. To było dla nich w tej wyprawie najlepsze. A zaraz po tym ostatnia, już wspólna jej część – przeprawa promem przez rzekę i ognisko na jej drugim brzegu.

– Nie mam uwag, synku – Miłosz nie spodziewał się, że pójdzie mu tak łatwo. – Świetnie to obmyśliliście. Mam tylko jeden warunek. Pojedzie z wami Krystian.

Krystian był starszym stryjecznym bratem Julki i Miłosza. Miał już skończone osiemnaście lat i dobrze dogadywał się z młodszymi. Poza tym trenował młodych chłopców w klubie koszykówki, więc potrafił ogarnąć grupę.

– W sumie… – Miłosz zastanowił się przez chwilę. – W sumie OK, Krystian może być. Przekonam chłopaków. A ty pomóż mi przekonać pozostałych rodziców.

Ruszyli spod bloku, jakby startowali w wyścigach. Tak to już jest, że jak się spotka kilku chłopców na rowerach albo hulajnogach, to się ścigają. Miłosz uwielbiał się ścigać. Zawsze po takiej szybkiej jeździe na rowerze lepiej szło mu w Minecrafcie oraz miał więcej siły do nauki, jedzenia i innych spraw, na które zwracają uwagę dorośli. Mama Miłosza mówiła, że kręcenie nogami nakręca mu głowę na lepsze pomysły.

– Ale to super wymyśliliśmy! – cieszył się Maciek. Kumplował się z Miłoszem od przedszkola. Lubili te same gry, tych samych piłkarzy, te same filmy. Mieli o czym rozmawiać i nigdy się ze sobą nie kłócili ani nie nudzili. Jak ktoś pytał Maćka, kto jest jego najlepszym kumplem, odpowiadał: „Miłosz". Jak ktoś pytał Miłosza, kto jest jego ulubionym kumplem, odpowiadał: „Maciek".

Do ostatniego etapu przeprawy przez rzekę i ogniska mieli jakąś godzinę jazdy. Z przerwą na posiłek. Trasa wiodła wzdłuż rzeki po wysokim wale przeciwpowodziowym. Na pierwszym postoju tak skutecznie się najedli i odpoczęli, że myśleli, iż nikt już na rower nie wsiądzie.

– Przesadziliście z tymi wyścigami – Krystian powiedział to, co każdy w głębi duszy wiedział. Nikt jednak nie zamierzał marudzić. Powoli chłopcy zaczęli wsiadać na rowery.

– Kierunek: prom! – mobilizował kolegów Miłosz. Postanowił, że drugi etap przejedzie na końcu stawki, porozgląda się wokół, nie będzie się spieszył.

Ledwo zdążył wystartować, usłyszał dziwne syczenie spod kół. Zsiadł z roweru. Nie miał powietrza w tylnym kole. A to pech!

– Koniec jazdy! – wykrzyknął.

Wszyscy zawrócili. Okazało się, że nikt nie ma zapasowej dętki. I nikt nie może mu pomóc.

– Dzwoń do taty. Niech cię stąd zabierze – zadecydował Krystian.

Miłosz kiwnął głową, ale nie spieszył się z wykonaniem telefonu. Próbował coś wymyślić, żeby to nie był dla niego koniec trasy. Ze smutkiem patrzył, jak chłopaki, jeden po drugim, wsiadali na rowery i odjeżdżali. A to, że najbardziej spieszył się Maciek, było jak cios w samo serce. Nawet nic nie powiedział na pożegnanie…

„Czy to koniec naszej przyjaźni? – zastanawiał się Miłosz. – Szkoda… Byłem pewien, że chociaż on, jak prawdziwy przyjaciel, mi pomoże. Ale w sumie, dlaczego wszyscy mają cierpieć z powodu mojego pecha?" – było mu smutno. Czubkiem buta wiercił dziurę w ziemi. I im większa była ta dziura, tym większy smutek go ogarniał. Myślał o Maćku, o przysłowiu, które mówi, że prawdziwych przyjaciół poznaje się w biedzie, czyli wtedy, gdy coś się nie układa, gdy – tak jak on teraz – ma się pecha. Szkoda, że w biedzie przyjaciel go zawiódł…

Nagle usłyszał szum. Ktoś jechał po ścieżce. To był Maciek.

– Maciek?! – Miłosz ucieszył się i zdziwił jednocześnie.

– Przepraszam, że tak pojechałem bez słowa. Chciałem szybko dotrzeć do rodziców i skombinować zapasowe koło. Ale potem pomyślałem, że to zajmie za dużo czasu i zawróciłem. Słuchaj, prom nie jest daleko. Jak będziemy szybko szli, prowadząc rowery, dotrzemy tam zaraz po chłopakach. Oni są padnięci, będą jechali powoli. Obiecali mi to – mina Maćka zdradzała, że akcja przyjacielskiej pomocy zatoczyła szersze kręgi.

– Dziękuję, że wróciłeś. Jesteś prawdziwym przyjacielem – powiedział Miłosz, szybko przebierając nogami.

Przyjaźń łączy nas
z ludźmi, których lubimy, szanujemy,
jesteśmy dla nich życzliwi, ufamy im i jesteśmy
w stosunku do nich szczerzy – i wszystko to jest odwza-
jemnione. Uczucie to wymaga ciągłej pracy, by nie wy-
gasło, o przyjaźń trzeba dbać i ją pielęgnować.

Prawdziwy przyjaciel nigdy nie stanie
ci na drodze, chyba że idziesz w dół.
Arnold H. Glasgow

Kwiaty nie zakwitną bez ciepła słońca. Ludzie
nie mogą stać się ludźmi bez ciepła przyjaźni.
Phill Bosmans

Nie ten przyjaciel, kto współczuje,
a ten, kto pomaga.
Thomas Fuller

Przyjaźń to nie tylko wspaniały
prezent, lecz także ustawiczna praca.
Ernst Zacharias

Powiedz mi, kim są twoi przyjaciele,
a powiem ci, kim jesteś.
Ernest Hemingway

10
HISTORIA O WDZIĘCZNOŚCI
Dowód dźwięczności

– Tylko „ding"? A gdzie jest „dong"? Dlaczego wasz dzwonek tak dziwnie dzwoni? – zapytał Maciek, który przyszedł odwiedzić Miłosza. Chłopcy mieli dokończyć układanie trójwymiarowych kosmicznych puzzli.

– Bo działa na pół gwizdka – odpowiedział Miłosz.

– Gwizdka? Przecież on nigdy nie gwizdał, tylko ding-dongał.

– Gwizdka, gwizdka. Tak się mówi, kiedy coś działa byle jak.

– Okej, już rozumiem. Dzwonek wam się zrobił po prostu niemrawy.

– Można tak powiedzieć – zaśmiał się Miłosz i wziął plecak kolegi. – On ma swoje humory. Jak znam życie, zaraz mu przejdzie.

I rzeczywiście, kiedy Miłosz z Maćkiem kończyli układanie puzzli, od drzwi rozległo się piękne, wyraźne i całkowicie kompletne „ding-dong".

– Ale cudownie brzmi ten wasz dzwonek, jak mu się chce ding-dongać w całości – Maciek był zachwycony.

Kiedy w salonie nie było już słychać głosu sąsiadki, która wpadła na chwilę do mamy, chłopcy poszli sprawdzić, czy dzwonek przypadkiem znów się nie rozleniwił. Miłosz nacisnął przycisk i dom ponownie wypełniło dźwięczne „ding-dong".

– O, dobrze, że jesteście! – ucieszyła się mama, widząc stojących przy drzwiach chłopców. – Poczęstujcie się, proszę.

– Upiekłaś szarlotkę? – zapytał Miłosz na widok przepysznie przytulającego się do talerza, otulonego lukrem ciasta. – Kiedy? Przecież jak przed chwilą pytałem, czy mamy coś słodkiego do wrzucenia na ząbek, odpowiedziałaś, że niestety nie…

– Pani Ania przyniosła – krótko wyjaśniła mama. – To taki mały słodki dowód wdzięczności za pożyczenie miksera.

– Dowód DŹWIĘCZności? – zdziwił się Maciek.

I tu nastąpił taki monet, w którym najchętniej pojawiłby się śmiech albo przerwa na reklamy. Ale czasem, gdy się nawet bardzo chce śmiać, trzeba się powstrzymać, ponieważ osobie, która coś źle zrozumiała, może zrobić się przykro.

– Dowód WDZIĘCZności. Ale „wdzięczność" to bardzo dźwięczne słowo, masz rację, Maćku. Pożyczyłam sąsiadce mikser, bo jej się nagle popsuł. Nie miała czasu kupić nowego, ponieważ ciasto trzeba było dokończyć natychmiast. Na szczęście nasz mikser jest sprawny. Chętnie go jej pożyczyłam. A ona, żeby podziękować, podzieliła się szarlotką, którą z pomocą naszego miksera upiekła.

– Coś mi się przypomniało! – wtrącił się do rozmowy Miłosz, który skończył pierwszy kawałek szarlotki i zabierał się za drugi. – Znam taki dowód wdzięczności, który naprawdę dźwięczy. Dźwięczy i brzęczy!

– Jaki? – zaciekawił się Maciek, który też już zabierał się za drugi kawałek szarlotki.

– Order Uśmiechu!

– Czy to jakiś medal, który przyznają stomatolodzy? – Maciek nie słyszał wcześniej o tym odznaczeniu.

– Pudło! Nie zgadłeś – Miłosz znał osobiście kilka osób, które nosiły uśmiechnięte słoneczko w klapie marynarki, i dużo o nim wiedział. – To jedyny na świecie order, który przyznają dzieci dorosłym. Z wdzięczności za to, że ci dorośli byli dobrzy dla dzieci i zrobili coś, co przyniosło dzieciom radość. Osoby odznaczone tym orderem to Kawalerowie Orderu Uśmiechu. Są w tym gronie świetni ludzie, bardzo zasłużeni, np. Irena Sendlerowa, Jan Paweł II, Jurek Owsiak i nawet Kuba Błaszczykowski.

– Wow, naprawdę wyjątkowi – skomentował Maciek.

Jeśli ktoś zrobił dla nas coś miłego, dobrego, pomógł nam lub nas wspierał – czujemy **wdzięczność**. Chcemy się za te wszystkie serdeczne gesty odwzajemnić, podziękować. **Wdzięczność** niesie ze sobą szczęście i radość. Najbardziej pasuje od niej słowo **„dziękuję"**.

Bądź wdzięczny za to, co masz, a będziesz miał tego więcej. Jeśli koncentrujesz się na tym, czego nie masz, nigdy nie będziesz miał wystarczająco dużo.

Oprah Winfrey

Wdzięczność wnosi radość i uśmiech w twoje życie oraz życie tych, którzy są wokół ciebie.

Eileen Caddy

Wszelkie niezadowolenie z tego, czego nam brak, płynie z braku wdzięczności za to, co posiadamy.

Daniel Defoe

Radość jest najprostszą formą wdzięczności.

Karl Barth

11
HISTORIA O WSPÓŁCZUCIU
Noga w gipsie

– Nie możesz siedzieć przy biurku? – z niedowierzaniem dopytywała Andżelika. Jej rozmowa z Julką przez telefon była inna niż zwykle. Zwykle bowiem Julka nie miała złamanej nogi. – To jak teraz będziesz siedziała przy komputerze?

– Nie wiem, może mama pożyczy mi swój laptop. Albo zamienię się z Miłoszem. Teraz jednak jestem odcięta od komputera i dlatego dzwonię. Żeby ci powiedzieć, dlaczego nie ma mnie na serwerze. Nikt nie dał mi bana, po prostu nie mogę dołączyć. Chwilowo. Przez nogę.

– Bardzo ci współczuję… Złamanej nogi, gipsu, braku laptopa…

– Jeszcze możesz współczuć mi kul – uzupełniła Julka.

Andżelika wyobraziła sobie wielką, różową kulę z kręgielni, która spadła nagle na obolałą nogę koleżanki. Zanim jednak zaczęła dopytywać o szczegóły, Julka rozwiała jej wątpliwości:

– Kule to moje nowe koleżanki. Jak przyjdziesz, chętnie cię z nimi zapoznam. Lewa jest srebrna, a prawa czarna. W sklepie ortopedycznym nie było już dwóch takich samych.

– Mówisz o takich laskach do chodzenia z nogą w gipsie? – Andżelika wolała się upewniać.

– No tak. Chodzenie o kulach wcale nie jest takie proste. Sama się przekonasz. Już mnie bolą od nich ręce.

– To wpadnę jutro i wszystko mi pokażesz!

Julka zawsze lubiła rozmawiać z Andżeliką. Ale teraz, kiedy z powodu złamanej nogi dzwoniło do niej więcej osób, lubiła rozmawiać z nią jeszcze bardziej.

– Mamo, nie gniewaj się, że tak mówię, ale muszę to powiedzieć... Ja wiem, że ty nie lubisz, jak ja tak mówię o cioci Beacie, ale muszę…

– Skoro musisz, mów, Juleńko – zachęciła mama.

– Bo wydaje mi się, że ciocia Beata myśli, że ja mam ciągle pięć lat. Jak do mnie dzwoni i pyta o nogę, zmienia głos, jakby mówiła do dzidziusia.

– Ona ci po prostu współczuje i pewnie, zmieniając głos, chce wyrazić czułość.

– Ale Andżelika też mi współczuje i mówi normalnie.

– No widzisz, niektóre ciocie tak już mają. Jeśli ci to bardzo przeszkadza, może następnym razem spróbuj cioci Beacie delikatnie powiedzieć, że wolisz, kiedy mówi do ciebie jak do dorosłej osoby.

– Tak zrobię.

Następnego dnia Adżelika przyszła do Julki zaraz po szkole.

– Wszyscy cię pozdrawiają, a najbardziej pani Literka od polskiego. Powiedziała, że bardzo ci współczuje i zrobiła taką minę, o taką… – Andżelika bardzo się starała zrobić najsmutniejszą minę na świecie, ale wcale jej to nie wychodziło. – No nie umiem ci tego pokazać, bo uważam, że tobie współczuć trzeba na wesoło.

– Czyli jak? – uśmiechnęła się Julka, bo już robiło się jej wesoło. Głównie od tego naśladowania pani Literki.

– Możesz wyjść na taras? Pomogę ci!

– Dam radę. Już lepiej dogaduję się z moimi koleżankami kulami.

Dziewczynki wyszły na taras. Andżelika pomogła Julce usiąść w specjalnie dla niej przygotowanym fotelu i położyć zagipsowaną nogę na pufie.

– No to patrz i słuchaj! Brzuch lubi ruch, a częste ćwiczenie poprawia myślenie! – wyrecytowała głośno Andżelika, jakby rozpoczynała przedstawienie, po czym wyjęła z plecaka worek z kolorowymi piłeczkami pingpongowymi. – Będę rzucała, a ty celuj kulą! – zarządziła.

Już za chwilę na Julkę spadł deszcz kolorowych piłeczek pingpongowych. Próbowała je podbijać końcówką kuli, śmiejąc się przy tym szczerze i dobrze się bawiąc. I to nic, że ofiarą tego współczucia na wesoło stała się doniczka z pelargoniami. Rodzice wcale się nie gniewali.

Współczucie
rodzi się wtedy, gdy wspieramy kogoś, troszczymy się o niego, współodczuwa-my razem z nim i chcemy mu pomóc.
Współczujemy, więc dostrzegliśmy cierpienie i rozumie-my, że komuś, kto go doświadczył, jest źle.
Współczucie to nie to samo, co litość, która wiąże się raczej z użalaniem się nad kimś.

Miłość i współczucie to rzeczy niezbędne, nie – luksusowe. Bez nich ludzkość nie przetrwa.
Dalajlama XIV

Współczucie i codzienne wyrazy dobroci bardzo wzbogacają życie.
Robin Sharma

Żeby współczuć, trzeba być samemu słabym i znać cierpienie; trzeba upaść, przewrócić się, trzeba umieć płakać.
Olga Tokarczuk

12
HISTORIA O NAUCE
Krzyżówka prababci

Miłosz przyglądał się, jak prababcia Bronia rozwiązuje krzyżówkę. Właściwie to nie zastanawiał się, co pisze, tylko jak to robi.
– Babciu, długo musiałaś pracować nad tym, żeby tak ładnie pisać?

– Nie zastanawiałam się nad tym, Miłoszku. Zawsze lubiłam pisać. Jak coś się lubi robić, to zazwyczaj wychodzi dobrze i ładnie.

– Widocznie niezbyt lubię pisać… – wykombinował Miłosz. – Pani w szkole ciągle mi mówi, że powinienem więcej popracować nad pisaniem…

Miłoszowi takie rady nie dodawały skrzydeł. Nie chciało mu się pracować. I w ogóle jemu bardzo się te jego krzywe literki podobały. Litery nie mogą być proste jak linijka – to oczywiste. Ale jego litery były krzywe w sposób szczególny: czasem pochylały się jak drzewa na wietrze, czasem kurczyły się jak rośliny pozbawione wody. „Zet" zawsze przypominało węża. „Ka" ze swoich ramion tworzyło rozwartą paszczę smoka. Małe „em" przypominało spiralę, a „es" – jak naburmuszony pingwin – zawsze na czubku miało pętelkę przywołującą na myśl zadarty dziób. Te znaki bardzo różniły się od liter narysowanych jako wzór w szkolnych ćwiczeniach.

Miłosz zerknął na prababcię. Męczyła się nad jednym hasłem, marszcząc czoło.

– Może ja wiem? – zaoferował pomoc.

– Legendarny założyciel Warszawy…

– Wars – powiedział Miłosz.

– Też tak myślałam, ale nie pasuje. Kto to może być?

Miłosz przyjrzał się uważnie krzyżówce. Nie mógł się nadziwić. Prababcia źle napisała jedno słowo?

– Ale pszenica piszemy przez „sz", nie przez „rz".

– O rety, ale ze mnie gapa – zaśmiała się prababcia. Ale szybko jakoś tak dziwnie posmutniała, jakby coś ukrywała.

– Nic nie szkodzi. Każdemu się zdarza – pocieszył ją wnuczek i, zerkając na krzyżówkę, zauważył, że tych pomyłek jest więcej.

Pomyłki ortograficzne prababci nie dawały mu jednak spokoju. Postanowił o tym porozmawiać z tatą, kiedy ten podwoził go na trening.

– A wiesz, że twoja prababcia nie mogła chodzić do szkoły, bo wybuchła wojna? A kiedy się skończyła, musiała iść do pracy.

– Ale przecież miała wtedy tyle lat, co Julka! – Miłosz przypomniał sobie opowieści prababci o końcu wojny.

– Niestety, prawa dzieci do nauki i odpoczynku nie były wtedy przestrzegane. Prababcia sama nauczyła się czytać i pisać. Bez pomocy szkoły. Pomyśl o tym, kiedy nie będzie ci się chciało dociągać literek do linii – tata poklepał Miłosza po ramieniu.

– Pomyślę, ale teraz muszę lecieć na trening. Pa, tato!

– Pa! Przyjadę po ciebie o osiemnastej.

Trening szedł mu tego dnia nie najlepiej. Cały czas myślał o prababci i o tym, że – chociaż chciała – nie mogła się uczyć. „Jak to by było nie chodzić do szkoły?" – zastanawiał się. Najpierw pomyślał, że fajnie, ale potem przypomniał sobie, jak tęskni za nią pod koniec wakacji. Dwa miesiące bez szkoły i bez kolegów to maksymalny czas, który mógł sobie wyobrazić.

– Wiesz, tato – zaczął, jak tylko wsiadł do samochodu. – Jak sobie pomyślę o tym, że babcia nie mogła chodzić do szkoły, to chce mi się te literki dociągać do linijki. Serio! Myślisz, że mi się uda?

– Jestem o tym przekonany! Przecież sam często powtarzasz, że chcieć, to móc – uśmiechnął się tata, przybijając z Miłoszem piątkę.

Wszystkie dzieci mają prawo **się uczyć**. Zdobywanie wiedzy powinno wiązać się z rozwijaniem osobowości, talentów, a nauka powinna odbywać się w duchu tolerancji i szacunku. **Prawo do nauki** to jedno z praw dziecka zapisanych w najważniejszych dokumentach (m.in. w Konstytucji naszego państwa i przyjętej przez prawie wszystkie państwa na świecie międzynarodowej Konwencji o prawach dziecka).

Masz prawo uczyć się i zdobywać informacje. Szkoła powinna uczyć cię szacunku dla praw człowieka.
Na podstawie Konwencji o prawach dziecka (art. 13, 17, 28, 29)

Dzieci nie są głupsze od dorosłych, tylko mają mniej doświadczenia.
Janusz Korczak

Nie takie ważne, żeby człowiek dużo wiedział, ale żeby dobrze wiedział, nie żeby umiał na pamięć, a żeby rozumiał, nie żeby go wszystko troszkę obchodziło, a żeby go coś naprawdę zajmowało.

Janusz Korczak

13

HISTORIA O ŻYCZLIWOŚCI

Zdjęcie z półki z książkami

– Półki z książkami to przeżytek – stwierdził Igor, z którym Miłosz czasem grał w piłkę.

– Ale uwierz mi, gdy wchodzę do takiego pokoju, w którym półki z książkami sięgają sufitu, na środku stoi biurko, to nie wiem czemu, ale mam wrażenie, jakbym chciał odkryć jakąś tajemnicę, która w tych książkach jest ukryta. U mojego taty w gabinecie tak jest!

– Naprawdę? – zaciekawił się Igor. – A będę kiedyś mógł do was przyjść i się o tym przekonać?

– Pewnie! Możesz nawet jutro.

W wypełnionym książkami gabinecie taty Miłosza Igor poczuł się rzeczywiście magicznie. Układał w głowie plan – poprosi rodziców, żeby kupili mu taką jedną półkę i ułoży na niej wszystkie swoje książki. Kiedy tak planował, rozglądając się po pokoju, jego uwagę przyciągnęło zdjęcie na jednej z półek.

– To twoja babcia? – zapytał Miłosza.

– Nie, to Irena Sendlerowa – odpowiedział Miłosz dumny, że zna nazwisko tej pani, choć nie jest to jego babcia.

W tej samej chwili do pokoju wszedł tata, który pozwolił wcześniej chłopcom rozejrzeć się po gabinecie, ale wolał sprawdzić, co dokładnie robią. Podobało mu się zainteresowanie Igora książkami. Zamierzał pożyczyć mu kilka. Zdziwiło go, że chłopcy, zamiast przeglądać książki, przyglądają się zdjęciu.

– Proszę pana – odezwał się Igor, planując żart. – A to jakaś pana pierwsza miłość?

– Pierwsza może nie, ale wielka – odpowiedział poważnie tata Miłosza. – Wiesz, to jedna z najodważniejszych i najżyczliwszych osób na świecie. Osiemdziesiąt lat temu, w czasach drugiej wojny światowej, Warszawę opanowali ludzie, którzy chcieli zrealizować okrutny i nieludzki plan wymordowania jednej narodowości – Żydów. W naszej stolicy powstało getto – specjalna dzielnica odgrodzona od reszty miasta. Zamknięto tu osoby narodowości żydowskiej. Ludzie umierali z powodu głodu, chorób i samotności. Cierpiały też dzieci. Niewiele osób z zewnątrz mogło wejść do getta. Chyba że zdobyły specjalną przepustkę. Taką przepustkę miała właśnie ta pani, Irena Sendlerowa. Ryzykując własnym życiem, pomagała dzieciom z getta, przynosiła im lekarstwa, jedzenie, wynosiła je za mury po kryjomu i organizowała dla nich pomoc. Udało jej się ocalić dwa i pół tysiąca dzieci.

Igorowi z wrażenia aż poczerwieniały policzki. Poczuł suchość w gardle. Chciał coś powiedzieć, ale musiał napić się wody.

– Ta pani nie tylko była najbardziej życzliwą osobą na świecie, ale prawdziwą bohaterką! – wykrzyknął, gdy skończył pić.

– A wiesz, że pani Irena nie uważała się za bohaterkę? Była skromna i mówiła, że każdemu, kto tonie, należy podać rękę. Każdemu, kto potrzebuje pomocy, trzeba pomóc.

Życzliwość to
cecha dobrych ludzi, którzy mają
przyjazne usposobienie i chcieliby, żeby innym
działo się dobrze. Kiedy spotykamy życzliwego człowieka, od razu czujemy jego przychylne nastawienie do
nas. On nigdy nie będzie cieszył się z naszego nieszczęś-
cia i zawsze uraduje go nasz sukces czy nasze
szczęście.

Życzliwość trudno oddać, ponieważ zawsze wraca.

Marcel Proust

*Życzliwe słowa mogą być krótkie i łatwe do wymówienia,
ale ich echa są naprawdę nieskończone.*

Matka Teresa

*Głodnemu daj kawałek chleba,
ale smutnemu daj kawałek twojego serca.*

Przysłowie chińskie

*Ten świat potrzebuje nowego rodzaju armii –
armii życzliwości.*

Cleveland Amory

14
HISTORIA O AKCEPTACJI
Stoję murem za Bartkiem

– Co to znaczy „akceptować"? – zapytała pani Temperówka. Miłosz chciał się zgłosić do odpowiedzi, ale jego kolega z ławki był szybszy.

– To znaczy: wypłacać pieniądze z bankomatu – Bartek ucieszył się, że znał odpowiedź.

– Możesz to wyjaśnić? – poprosiła pani Temperówka, nie chcąc od razu powiedzieć uczniowi, że się myli.

– Bankomat zawsze prosi o akceptację – krótko wyjaśnił Bartek, dziwiąc się, że pani Temperówka nie zrozumiała, o co mu chodzi. – Więc akceptacja to jest taki przycisk, który zatwierdza wypłatę pieniędzy – rozwinął swoją wypowiedź z powagą.

W klasie, jak pojedynczo rzucane petardy, zaczął wybuchać śmiech. Śmiech to przyjaciel. Kiedy ktoś nas rozśmieszy, zapominamy o złym humorze. Śmiech może także być wrogiem. Ranimy osobę, z której się wyśmiewamy albo robimy jej żart, który śmieszy tylko nas. Takie raniące działanie śmiechu poczuł Bartek. Śmiało się z niego dwadzieścia osób, a on nie wiedział, co takiego śmiesznego zrobił lub powiedział.

Śmiali się wszyscy oprócz pani Temperówki i Miłosza. Ale tylko Miłosz zorientował się, że Bartek wcale nie żartował, naprawdę myślał, że słowo „akceptacja" odnosi się wyłącznie do sytuacji wypłacania pieniędzy z bankomatu.

Pani Temperówka uznała natomiast, że specjalnie rozśmieszył klasę, zrobił sobie żart i przeszkodził w prowadzeniu lekcji, bo przez pół godziny nie mogła opanować wciąż wybuchających śmiechem dzieci. Bartek

dostał uwagę. Pani Temperówka długo pisała w jego dzienniczku i postawiła w czasie tego pisania dużo wykrzykników. Chłopiec miał przynieść podpisy rodziców pod listem, w którym pani Temperówka napisała, jak źle zachował się ich syn na lekcji.

– Proszę pani, to niesprawiedliwe. Bartek naprawdę myśli, że akceptować, to wypłacać pieniądze z bankomatu. Ja go znam, on nie żartował – Miłosz został w klasie dłużej, żeby porozmawiać z panią Temperówką.

Obrona kolegi na nic się zdała. Nauczycielka upierała się przy swoim. Czyli przy tym, że Bartek zrobił sobie z lekcji kabaret. Miłosz jednak nie zamierzał odpuścić:

– A nie może pani zaakceptować faktu, że Bartek się pomylił? Wtedy zachowanie Bartka będzie w porządku, a klasy nie. Nikt nie powinien śmiać się z Bartka. On chciał dobrze, pomylił się, ale nic złego ani śmiesznego nie zamierzał powiedzieć. Po prostu nie znał właściwego znaczenia słowa, o które pani pytała. Chociaż myślał, że zna. A pani go jeszcze za to ukarała…

Pani Temperówka często wpisywała uwagi do dzienniczków. Była z tego znana. Do tej pory jednak nikt nie odważył się jej powiedzieć, że się myli. A przecież nawet najpoważniejszy dorosły może się mylić, prawda? I dobrze, by o tym wiedział. Każdemu można zwrócić uwagę, ważna jest tylko forma i sposób, w jaki to zrobimy. Jeśli robimy to grzecznie, kulturalnie, to jest to jak najbardziej w porządku.

– Miłoszu, to bardzo ładnie, że wstawiasz się za kolegą, ale nie będziesz mnie uczył, jak postępować z uczniami – pani Temperówka uważała się za osobę nieomylną.

Po drodze ze szkoły Miłosz zastanawiał się, dlaczego pani Temperówka nie chce zmienić zdania.

– Niektórym trudno zaakceptować fakt, że mogą się mylić – próbowała wytłumaczyć mu mama, której opowiedział o tym, co wydarzyło się w szkole. – Mam nadzieję, że jutro znów porozmawiacie i pani Temperówka zmieni zdanie.

– I zaakceptuje moją i Bartka wersję wydarzeń?

– Dokładnie tak. Wato rozmawiać, tłumaczyć, próbować.

– Człowiek uczy się przez całe życie i nie zawsze od starszych, ale od tych, którzy w danym temacie mają rację, a ty zachowałeś się super. Stanąłeś po słusznej stronie. Jestem z ciebie dumny – dorzucił tato przysłuchujący się rozmowie swojej żony i syna.

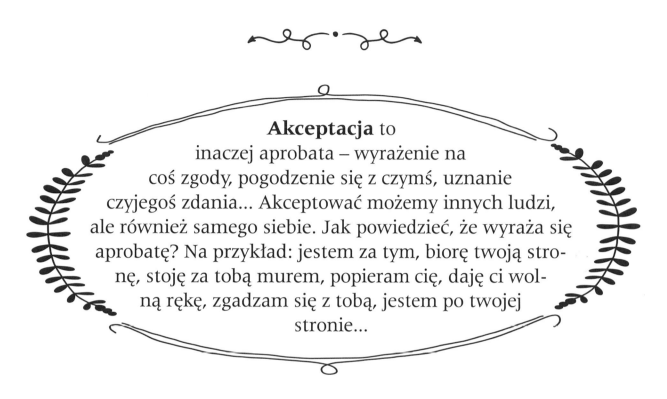

Akceptacja to inaczej aprobata – wyrażenie na coś zgody, pogodzenie się z czymś, uznanie czyjegoś zdania... Akceptować możemy innych ludzi, ale również samego siebie. Jak powiedzieć, że wyraża się aprobatę? Na przykład: jestem za tym, biorę twoją stronę, stoję za tobą murem, popieram cię, daję ci wolną rękę, zgadzam się z tobą, jestem po twojej stronie...

Akceptacja to największy komplement, jaki można otrzymać.
Maciej Frączyk

W człowieku tkwi nieodparta potrzeba bycia akceptowanym. Za wszelką cenę musicie jednak zaufać tym cząstkom swojej osobowości, które wyróżniają was spośród innych i sprawiają, że jesteście niepowtarzalni.
Nancy H. Kleinbaum

15
HISTORIA O GODNOŚCI
Z tym się urodziłem

– „Przez tego wirusa to się człowiekowi odbiera godność, nie można wyrażać swoich poglądów, protestować, bo grozi to zarażeniem…" – Julka usłyszała takie zdanie, przechodząc obok rozmawiających sąsiadów. Skupiła się na jednym słowie: godność.

Wiedziała, co oznacza „z godnością". Z godnością, czyli: z szacunkiem, z cierpliwością, z należytą czcią.

„Babcia mówi często, że trzeba coś znosić z godnością – myślała. – Ale po co znosić z godnością takie na przykład śmieci do kosza?" – wyobraziła sobie, jak z poważną miną znosi po schodach worek ze śmieciami. Coś jej jednak w tym obrazku nie grało. Postanowiła porozmawiać o tym z mamą.

Zanim to nastąpiło, do drzwi zadzwonił kurier.

– To pan? – zdziwiła się Julka. Paczkę przekazał jej znajomy rodziny, który jest muzykiem. Słynnym muzykiem. Z powodu pandemii musiał odwołać wszystkie koncerty. Zatrudnił się w firmie kurierskiej i tak postanowił przeczekać czas, kiedy znów będzie można organizować koncerty, na które będą przychodzili fani jego muzyki.

– To ja – uśmiechnął się do niej znajomy muzyk. – Są rodzice?

Mama odebrała paczkę i zamieniła z panem kurierem-muzykiem kilka słów. O tym, że takie czasy, że trzeba było zmienić zawód. I o tym, żeby jak najszybciej się ta pandemia skończyła, żeby można było spotykać się z ludźmi, chodzić do kina, teatru, na koncerty i wystawy.

– Rety, ten pan został kurierem? Znosi te paczki z godnością! – zauważyła Julia, przechodząc płynnie do zaplanowanej rozmowy, jak tylko kurier wsiadł do samochodu.

– Pan Bartłomiej uczciwie pracuje i zarabia – powiedział mama, nie do końca przekonana, czy rozumie, o co chodzi Julce z tym znoszeniem paczek.

– No tak, tylko czy to nie jest takie… dziwne, że słynny muzyk roznosi paczki? Takie… trochę odbierające godność? – Julka próbowała rozwiać swoje wątpliwości.

– Godność to taki dom, w którym mieszka jej wiele dzieci: szacunek, wsparcie, nadzieja, miłość, przyjaźń, tolerancja, honor. Mieszkają tam też wszystkie aktywności i marzenia, które chcesz realizować, cele i plany. Myślę, że ta praca pozwoli panu Bartkowi zrealizować jeden z jego planów. Nie będzie na przykład musiał sprzedawać swoich instrumentów, by zebrać fundusze na opłacenie czynszu. Po pracy będzie dalej ćwiczył, muzykował, a kiedy organizowanie koncertów znów będzie możliwe, wróci do dawnej pracy.

– Rozumiem… – zamyśliła się dziewczynka. – To tak jak z wujkiem Józkiem. Przestał być prezesem, jednak to nie znaczy, że przestał być dobrym bankowcem, i że nie zasługuje już na przyjaźń, szacunek, uznanie, że ludzie mają go przestać poważać.

– Tego nie można stracić, bo to elementy godności osobistej – podsumowała mama. – Z nią się wujek i pan Bartek, tak jak każdy człowiek, urodził i będzie ją miał przez całe życie.

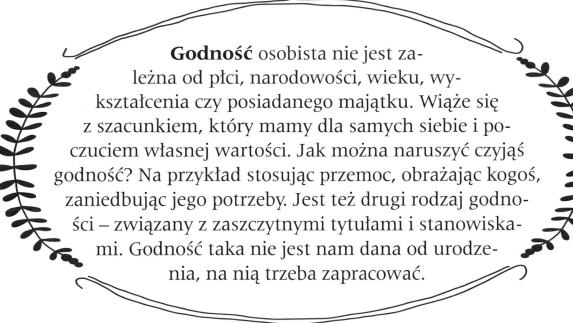

Godność osobista nie jest zależna od płci, narodowości, wieku, wykształcenia czy posiadanego majątku. Wiąże się z szacunkiem, który mamy dla samych siebie i poczuciem własnej wartości. Jak można naruszyć czyjąś godność? Na przykład stosując przemoc, obrażając kogoś, zaniedbując jego potrzeby. Jest też drugi rodzaj godności – związany z zaszczytnymi tytułami i stanowiskami. Godność taka nie jest nam dana od urodzenia, na nią trzeba zapracować.

Uwłaczanie [deptanie] godności człowieka jest przestępstwem.

Antoine de Saint-Exupéry

Każde dziecko ma taką samą godność w oczach Bożych.

Jan Paweł II

Godność człowieka polega na tym, żeby działać rozsądnie i decydować samemu.

Max Frisch

Prawdziwie godny człowiek to ten, który się w nic nie stroi [nie udaje].

François La Rochefoucauld

16
HISTORIA O POKOJU
Ahmad z Aleppo

– Chciałbym wam o czymś opowiedzieć – rzekł tata Julki i Miłosza, wyciągając z kieszeni telefon. Musiał się przy tym nieźle nagimnastykować, ponieważ na jego jednym kolanie siedziała Julka, a na drugim Miłosz. Tata właśnie wrócił z dalekiej podróży. Stęsknił się za dziećmi tak jak one za nim.

– Że twój telefon zupełnie już ci się rozleciał? – zgadywał Miłosz?

– Jeszcze działa – uśmiechnął się tata. – Chciałbym wam opowiedzieć o kimś, komu zrobiłem tym telefonem zdjęcie. – To jest Ahmad.

Z telefonicznego ekranu patrzył na Julkę i Miłosza chłopiec. Mógł mieć najwyżej siedem lat. Jego usta wykrzywiały się w dziwnym grymasie – jakby chciał się uśmiechnąć do zdjęcia, ale coś mu na to nie pozwalało. Miał czarne, nieuczesane włosy i ciemne, bardzo, bardzo smutne oczy.

– Tato, dlaczego Ahmad jest na jakimś złomowisku? – Miłosz spojrzał na tło zdjęcia. Tworzyły je sterty kamieni i żelastwa.

– To jego dom…

– Jak to? On mieszka na złomowisku?! – niemal jednocześnie zapytały dzieci.

– Nie zawsze jego dom tak wyglądał – zaczął wyjaśniać tata. – Miasto, z którego pochodzi Ahmad, to Aleppo.

– Wiem, wiem! To w Syrii! – Julka uczyła się niedawno o państwach arabskich na Bliskim Wschodzie.

– Tak – potwierdził tata. – Syria to kraj, gdzie wydarzyła się największa wojenna tragedia w ostatnim czasie… A Aleppo, jedno z najstar-

szych miast świata, ucierpiało w tej wojnie najbardziej. Wschodnia część miasta, gdzie mieszkał Ahmad, a która skojarzyła się wam ze złomowiskiem, została niemal całkowicie zniszczona przez wojnę trwającą już od dziesięciu lat. Samo oblężenie trwało cztery lata…

– Czyli dom Ahmada został zbombardowany? – Miłosz wolał się upewnić, że dobrze rozumie.

– I przez te cztery lata Ahmad cały czas tam był?! – z niedowierzaniem dopytywał Julka.

– Tak. Tak… – odpowiedział tata i mocniej przytulił dzieci. – W czasie tych czterech lat ta część Aleppo była odcięta od świata. Szkoły nie działały, domy zostały zburzone. Ludzie nie mieli co jeść i pić. Zginęło pięć tysięcy dzieci. A większość tych, które ocalały, straciły rodziców.

– To straszne – oczy Julki wypełniły się łzami. – Czy on też nie ma rodziców?

– Ne ma… Mieszka teraz u znajomych rodziny.

– Tato, ale jaki kraj napadł na Syrię? – dopytywał Miłosz.

– Syria nie prowadzi wojny z innym państwem. To wojna domowa. Walczą ze sobą grupy z jednego państwa, Syryjczycy.

– Jak możemy pomóc Ahmadowi, tato?! – zapytała Julka.

– Ahmad został objęty tak zwaną pomocą humanitarną. Będzie przewieziony poza teren konfliktu zbrojnego, do obozu dla uchodźców Eleonas w Grecji. W Aleppo wciąż nie jest bezpiecznie, wybuchają bomby i miny, słychać strzały. W Grecji będzie mógł chodzić do szkoły, lekarza, będzie się mógł spokojnie bawić, będzie miał co jeść i pić.

Miłosz, który trzymał komórkę taty, wciąż wpatrywał się w ciemne i smutne oczy Ahmada:

– A on wiedział, że mu robisz zdjęcie, tato?

– Oczywiście! Sam o to poprosił. Chciał, żeby zrobić mu zdjęcie, by świat się o nim dowiedział, żeby inni ludzie zobaczyli, jak dzieciom na terenach, gdzie dorośli prowadzą wojny, jest ciężko.

– Polecimy do Grecji? Odwiedzimy Ahmada? – Miłosz gotów był lecieć nawet natychmiast. I już wiedział, co zapakuje dla kolegi z Aleppo: piłkę, gra w którą sprawia mu tyle radości, i misia, do którego zawsze można się przytulić.

– Polecimy – obiecał tata. – W lipcu.

– To ja tymczasem lecę do Andżeliki – poderwała się Julka. – Prześlij mi zdjęcie Ahmada, tato. Opowiem o nim wszystkim.

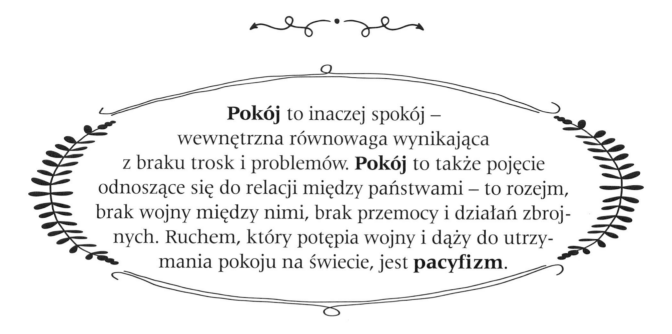

Pokój to inaczej spokój – wewnętrzna równowaga wynikająca z braku trosk i problemów. **Pokój** to także pojęcie odnoszące się do relacji między państwami – to rozejm, brak wojny między nimi, brak przemocy i działań zbrojnych. Ruchem, który potępia wojny i dąży do utrzymania pokoju na świecie, jest **pacyfizm**.

Ci, którzy nie mają pokoju w sobie, wojują z innymi.
William Hazlitt

Nigdy nie było dobrej wojny i złego pokoju.
Benjamin Franklin

Spokój nie oznacza bierności, wyciszony umysł pozwala podejmować inteligentne decyzje i działać we właściwym czasie.
Ravi Shankar

17
HISTORIA O ODPOCZYNKU
Sobota u cioci

Jakie to cudowne mieć ciocię DIY. DIY oznacza „do it yourself", czyli „zrób to sam". Ciocia nie ma oczywiście na imię DIY. Ma na imię Ewa. Ale jest ciocią Zrób To Sam, czyli ciocią DIY.

– Co to znaczy? – zapytał Miłosz, kiedy pierwszy raz usłyszał, jak Julka mówiła o cioci w ten sposób.

– To znaczy, że ciocia ma odlotowe pomysły i wiele rzeczy w domu robi sama – wyjaśniła starsza siostra.

– Ja też wiele rzeczy robię sam. Co takiego wyjątkowego jest w tym, że ktoś sam coś robi? – Miłosz nie krył zdumienia.

– Nie chodzi o zwykłe codzienne rzeczy. Ciocia sama robi niecodzienne rzeczy, takie, które inni kupują w sklepach. I one są takie… – Julka próbowała sobie przypomnieć słowo oznaczające coś innego niż tradycyjne, zwyczajne, powszechnie uznawane. – Mam! Ciocia robi rzeczy alternatywne.

– Jakie?!

– Takie, których większość ludzi sama zrobić nie potrafi.

– Na przykład?

– Półki. Potrafi sama zrobić półki. I doniczki na kwiaty. I fotel do ogrodu z drewnianych palet. Ona ma tyle ciekawych rzeczy do majsterkowania! – Julka nie mogła doczekać się soboty, którą mieli z bratem spędzić u cioci DIY.

Miłosz nie podzielał jej entuzjazmu. Nie zachwycała go wizja sobotniej pobudki o siódmej rano… Do drzwi cioci zapukał z nie najszczęśliwszą

miną. Za to Julka była przeszczęśliwa. Czuła, że dzisiejszą sobotę spędzi… alternatywnie. Jej przeczucia potwierdziły już pierwsze słowa cioci skierowane do dzieci:

– Zdejmijcie buty i chodźcie do ogródka. Na trawie jest jeszcze poranna rosa. Mały spacerek napełni nas pozytywną energią!

Zachwycona pomysłem Julka spokojnie i cierpliwie stawiała stopy na trawie. Miłosz natomiast nie potrafił znieść zimnej rosy i łaskoczącej trawy. Podskakiwał jak aligator z kreskówki. Pomyślał jednak, że w sumie ciocia miała rację – ten spacerek dodał mu energii i skutecznie obudził.

Po śniadaniu z płatków z mlekiem sojowym ciocia zaprowadziła Miłosza i Julkę do pokoju na piętrze.

– Mam dla was niespodziankę – powiedziała.

„To nie może być nic do jedzenia – kombinował Miłosz. – Przecież dopiero zjedliśmy śniadanie”.

„Ciocia pewnie zrobiła drewniany kufer na skarby” – zgadywała w myślach Julka.

Rzeczywiście, nie było to nic do jedzenia, ale też nie był to kufer na skarby. Było to błękitne zadanie!

– Malujemy, kochani! – zarządziła ciocia, wchodząc do pustego, przygotowanego do malowania pokoju.

Na środku przytulały się do siebie puszki z błękitną farbą, pędzle, wiaderka, wałki i inne przyrządy do malowania pokoju. Była też folia, którą sobotni malarze rozłożyli na podłodze. Tylko ta powierzchnia nie była przeznaczona do malowania. Reszta pokoju, czyli ściany i sufit, czekała na pokrycie jej błękitną farbą.

Malowanie zajęło Julii i Miłoszowi pół dnia. Najpierw na białych ścianach pisali i malowali to, co tylko chcieli. Grali w kółko i krzyżyk oraz kalambury, a za kartkę służyła im ściana. Dopiero potem, z pomocą cioci, która zajęła się też sufitem, pokryli ściany dokładnie błękitem. Kiedy wynieśli z pokoju wszystkie przybory do malowania, położyli się na podłodze i zachwycali.

– Nie wiedziałem, że umiem malować – przyznał Miłosz.

– Tu jest jak pod wodą… – stwierdziła Julka, wyobrażając sobie, że nurkuje.

Po pysznym grillowym obiedzie zjedzonym w ogródku ciocia zaproponowała spacer.

Julka obawiała się, że po kilku godzinach machania pędzlem nie będzie miała siły na wędrówkę. Okazało się jednak, że spacerując, także można odpoczywać.

– Co robiliście? – zapytał tata, kiedy wracali do domu.

Dzieci jednym tchem, jedno przez drugie, wymieniły dzisiejsze czynności, aktywności, nazwy zebranych podczas spaceru skarbów: kamyki, patyki, trawki.

– To musicie być strasznie zmęczeni – tata bardziej stwierdził niż zapytał.

– A właśnie że nie! – wyrwał się Miłosz.

– I to jest w tym wszystkim najdziwniejsze – dokończyła Julka.

– To wspaniale! – ucieszył się tata, który często powtarza, że dzieci mają prawo do wypoczynku i dobrej zabawy.

A to wielka umiejętność umieć odpoczywać.
Wiesław Myśliwski

Odpocznij. Kiedyś trzeba zwolnić cięciwę, inaczej strzała nie poleci.

Rebecca F. Kuang

Zatrzymanie się i odpoczynek są niezbędne, by zastanowić się nad tym, czy na pewno jesteśmy we właściwym miejscu i czy chcemy robić to, co robimy.

Adriana Klos

18
HISTORIA O POCZUCIU HUMORU
Fatalny dzień

– Mam dziś fatalny dzień – Julka uprzedziła pytanie rodziców o powód zbolałej miny.

Rzeczywiście, od rana jakby wszystko sprzysięgło się przeciwko niej. Zasnęła ze slajmem, który wplątał się w nocy we włosy tak, że musiała obciąć kawałek zlepionego dreda. Piorun nasikał do kapci. Nie zauważyła tego i włożyła do nich stopy. Podskoczyła i, opadając, pośliznęła się, bo przecież miała mokre stopy. Żeby nie upaść na podłogę, przytrzymała się mocno biurka, na którym stał sok porzeczkowy. Julka nie upadła, ale szklanka z sokiem tak – po drodze oblewając przygotowane na dziś, wiszące na krześle ubrania.

Mama Julki uważa, że trzeba rozmawiać. Nawet spraw fatalnych nie ma co przemilczać.

– Powiedz, co się stało – zachęciła.

Julka wymieniła wszystkie poranne katastrofy jednym tchem i rozpłakała się ze złości i bezsilności.

– Moja kochana, teraz już będzie tylko lepiej – próbowała ją pocieszyć mama. – Los ma dziwne poczucie humoru i czasem płata takie figle. Wiesz co, my też zróbmy komuś żart. Tylko taki naprawdę zabawny, który nikomu nie sprawi przykrości. Pokażemy losowi, co to znaczy mieć poczucie humoru.

Julce zaświeciły się oczy. Oczywiście wiedziała, komu wytnie numer. Swojemu młodszemu bratu!

– Julka, co to za słoik stoi przed drzwiami do twojego pokoju? – zapytał Miłosz po powrocie ze szkoły.

– Jaki słoik?

– Duży. W środku są jakieś kamyki i sianko…

– Nie dotykaj go!

Miłosz gwałtownie odskoczył. Pomyślał, że Julka, która uwielbiała eksperymentować, hodować i mieszać różne substancje, założyła w słoiku hodowlę wyjątkowo szkodliwej pleśni.

– Dobrze, już dobrze. Nie dotykam – zapewnił Miłosz. – Lepiej zakręć słoik, jeśli to coś szkodliwego, a nie stoi tu taki otwarty… A właściwie, co tam masz?

– Węża – odpowiedziała spokojnie Julka, próbując zachować poważną minę. Robienie komuś numerów nie w prima aprilis nie jest wcale takie łatwe.

Miłosz wcale się nie przestraszył. Wręcz przeciwnie – ucieszył się. Już od dawna namawiał rodziców, żeby pozwolili mu na hodowanie węża. Od dawna, czyli od chwili, gdy jego ukochany szczur Kucky przeniósł się na drugą stronę tęczy.

– O ja! Ale jak? Mama i tata pozwolili? Gdzie ten wąż?

– To wąż Ksawerego. Mamy się nim zaopiekować przez tydzień. Ksawery wyjechał do babci, która panicznie boi się węży. Nie mógł go zabrać ze sobą.

– Czym go będziemy karmić? – Miłosz przyłożył nos do słoika, próbując wypatrzyć węża. Sądził, że zakopał się w sianku albo udaje kamienie.

– On posila się raz na tydzień. Nie musimy go karmić. Za to mamy uważać, żeby nie wyszedł ze słoja. Bo Ksawery nie wie na sto procent, czy ten wąż jest OK, znaczy niejadowity…

– Serio? O rany! Ale czad! – Miłosz przyjął wiadomość jak zapowiedź dobrej zabawy.

Julka natomiast podniosła słoik i zaczęła dokładnie go oglądać, powtarzając: „Ojej, ojej…".

– Miłosz, słuchaj, on chyba uciekł! Nie ma go w słoiku! – spojrzała na brata i zrobiła najpoważniejszą minę, jaką mogła sobie wyobrazić, że robi. – O rany, on leży na twoim ramieniu! Nie patrz!

Chociaż cała akcja wydawał się Miłoszowi nieprawdopodobna, uwierzył Julce. Nawet poczuł na ramieniu mały ciężar. Zachował jednak zimną krew. Zaczął delikatnie rozpinać koszulę i posuwistym, płynnym krokiem zbliżać się w kierunku łazienki.

– Otwórz drzwi – wrzucę go do wanny, a potem włożymy go do słoika.

Kiedy kijem od mopa przeszukiwał leżącą w wannie koszulę, Julka nie wytrzymała:

– Miłosz, tam nie ma żadnego węża. To był żart!

– Naprawdę? – mimo wszystko Miłoszowi ulżyło. Jednak trochę się bał. Ale tak fajnie, jakby spacerował wśród wierzchołków drzew w parku linowym. Zaczął śmiać się z samego siebie, ale i z Julki, że chciało jej się obmyślić taki numer. – Ale mnie wkręciłaś!

– Nie gniewasz się?

– No coś ty! Niezła przygoda…

– Super. Liczyłam na twoje poczucie humoru!

Humor dodaje życiu lekkości.
Aleksandra Hulewska

Humor jest najwspanialszą przyprawą w czasie uczty życia.
Lucy Maud Montgomery

Poczucie humoru dobrze amortyzuje życiowe wstrząsy.
ks. Jan Twardowski

Błogosławieni, którzy potrafią śmiać się z własnej głupoty, albowiem będą mieć ubaw do końca życia.
ks. Jan Twardowski

19
HISTORIA O PATRIOTYZMIE
Koszulka z orłem

– Już wróciłeś? – zapytała mama, słysząc trzaśnięcie drzwi wejściowych i szybkie „tup, tup, tup" po schodach prowadzących do pokoi dzieci.

Zaniepokoiło ją to, że Miłosz nie odpowiedział. Poszła więc na górę sprawdzić, co się dzieje.

– Co się stało? – usiadła na brzegu łóżka, na którym leżał Miłosz. Leżał i cicho płakał w poduszkę. Miłosz rzadko płakał, więc mama zaniepokoiła się jeszcze bardziej. Od kogoś, kto płacze, trudno wydobyć tak od razu informację o przyczynach smutku. Mama wiedziała jednak, że jeśli cierpliwie poczeka i nie będzie ciągle dopytywać: „Co się stało? Co się stało? Dlaczego płaczesz? Dlaczego płaczesz?", dowie się, o co chodzi.
– Tata czeka na ciebie, żebyście razem wywiesili flagę. W końcu dziś Dzień Flagi. Patrioci… – Mama nie mogła dokończyć, bo Miłosz zaczął płakać mocniej i głośniej. Przez łzy wykrzyczał:

– No właśnie o to chodzi, że nie musimy już wywieszać żadnej flagi. To nie pomoże!

– Jak to? Komu ma pomóc? Czy też nie pomóc?

– Nam! Mnie, Julce, tobie, tacie! Nie jesteśmy patriotami i już!

– Nie zgadzam się z tym – powiedziała spokojnie mama. – Nie wiem, co wydarzyło się u Olka, ale z pewnością nie powinieneś wątpić w nasz patriotyzm. Kochamy naszą ojczyznę, szanujemy sąsiadów, uczciwie pracujemy i interesujemy się historią. W święta narodowe wywieszamy flagę…

– Ale nie mamy koszulek z herbem Polski! – A Olek i jego rodzice mają! I Olek powiedział, że skoro nikt u nas takiej koszulki nie ma, to znaczy, że nie jesteśmy patriotami!

Mamie ulżyło. Uśmiechnęła się w duchu, bo sądziła, że powód rozpaczy Miłosza jest dużo poważniejszy. Nie zamierzała jednak machnąć ręką i odejść. Wiedziała, że nawet najmniejszy problem dziecka to problem, z którym nie powinien zostać sam. Przytuliła mocno podenerwowanego Miłosza i spokojnie powiedziała:

– Wiesz… Są różne sposoby okazywania patriotyzmu. Dla Olka to noszenie koszulki z orłem w koronie. Ale to nie znaczy, że jeśli ktoś nie ma takiej koszulki, nie jest patriotą.

– Nie? – zaciekawił się Miłosz tak bardzo, że przestał płakać, usiadł i z zainteresowaniem oraz nadzieją spojrzał na mamę.

– Oczywiście, że nie. Współczesny patriota to ktoś, kto szanuje symbole narodowe…

– Wiem, wiem, to godło, flaga i hymn!

– Dba o rodzinę i przyrodę…

– Na przykład segreguje śmieci?

– Tak. I jeszcze uczciwie pracuje, i płaci podatki, i nie obraża innych…

– I wywiesza flagę przed domem na święta narodowe – dodała Julka, która właśnie weszła do pokoju. – A także oddaje pani w sklepie pieniądze, jeśli wydała mu za dużo.

– Czyli współczesny patriota to po prostu uczciwy człowiek – podsumował Miłosz.

– I przyzwoity! – dodała Julka, przypominając sobie słowa pewnego mądrego profesora. Zapomniała tylko, jak się nazywa. – Tak powiedział profesor…

– Władysław Bartoszewski – pospieszył z pomocą tata, który przyszedł sprawdzić, kiedy wreszcie dzieci pomogą mu z wieszaniem flagi. – Tak naprawdę nie posiadał on tytułu profesorskiego, ale był tak bardzo mądry, napisał więcej cennych książek niż niejeden profesor, dla wielu ludzi był wielkim autorytetem, że mówiono o nim Profesor. Z pewnością był również prawdziwym patriotą.

– No właśnie! On powiedział, że warto być przyzwoitym zawsze, nawet kiedy się to nie opłaca. I że przyzwoici ludzie nie biją dzieci.

– Tak, Julciu, bić dzieci nie wolno. Nigdy.

Patriotyzm to miłość do własnej ojczyzny, przywiązanie do niej i ludzi w niej mieszkających. Dawniej, kiedy wolność Polski była zagrożona, w czasach wojen, patrioci gotowi byli oddać życie za ojczyznę. Dziś na szczęście nie ma takiej potrzeby. W czasach pokoju patrioci m.in. uczestniczą w obchodach świąt narodowych, dbają o okolicę, uczestniczą w ogólnopolskich akcjach, poprawnie mówią i piszą w języku ojczystym, uczestniczą w wyborach...

Ojczyzna to nie kraj, w którym mieszkasz, ale kraj, którego potrzebujesz i który potrzebuje ciebie.

Stefan Pacek

Nie dajemy [wam] Ojczyzny, bo ją odnaleźć musicie własną pracą serca i myśli...

Janusz Korczak

87